LIW

Irma Chilton

Gwasg Gomer
1988

Argraffiad cyntaf - 1988

ISBN 0 86383 462 0

Dymuna'r cyhoeddwyr gydnabod cymorth a chyfarwyddyd Adrannau'r Cyngor Llyfrau Cymraeg a noddir gan Gyngor Celfyddydau Cymru.

Cyhoeddir dan gynllun comisiynu'r Cyngor Llyfrau Cymraeg.

Argraffwyd gan J. D. Lewis a'i Feibion Cyf.,
Gwasg Gomer, Llandysul, Dyfed

Pennod 1

Llerciwn yn y cysgod du a daflai porth yr eglwys, fy ngwaed yn gynnwrf i gyd ond fy nghorff yn gwbl lonydd. Aros am Liw ro'n i. Roedd o tu mewn i'r eglwys.

'Elwyn, dere i roi help llaw. Mae hwn yn ffiaidd o drwm.'

Ymatebais ar unwaith i'w sibrwd treiddgar, annisgwyl. Roeddwn wedi credu erioed nad oedd dim yn rhy drwm nac yn rhy boeth i Liw ei godi. Llithrais at y porth a thrwy adwy gul y drws. Roedd fel y fagddu y tu mewn i'r eglwys a phrin y gallwn ddilyn y cysgod oedd yn f'arwain i lawr yr eil.

Wedi cyrraedd yr allor, goleuodd Liw ei dorts bach pelydryn-cul ac yn ei olau gwelwn fwrdd ac arno lestr pres enfawr. Ar hwnnw'r oedd ein bryd.

'Mae'n rhy drwm i mi ei godi fy hun,' meddai Liw. 'Mae arna i ofn ei ollwng a'i niweidio. Dere, cymer di'r ochr arall.'

Gafaelais innau yn un ochr i'r llestr a Liw yn yr ochr draw a llwyddasom i'w godi a'i gario allan i'r fen oedd wedi'i pharcio o'r golwg y tu ôl i wrych y fynwent.

Ar ôl lapio'r llestr mewn sachau a'i roi'n ddiogel yn y cefn, fuon ni fawr o dro'n gyrru'n ôl am y dre ac i lawr at y gamlas i'r hen sied yr oeddem yn ei ddefnyddio fel storws. Cawsom dipyn mwy o straffîg i ddadlwytho'r llestr ond daethom i ben heb anap. Wedi gwneud yn siŵr fod popeth yn iawn, ffarweliais â Liw. Roedd yn well ganddo fo ddychwelyd y fen a fenthyciodd am y noson yn ôl i'r maes parcio ei hunan.

'Mwya i gyd ohonon ni sy o gwmpas, mwya tebygol y byddwn ni o gael ein dal,' meddai.

Doedd dim ots gen i. Ro'n i wedi profi'r wefr o ddwyn y llestr ac yn ddigon bodlon troi am adre bellach. Roedd gen i lawn ddwy filltir i gerdded a digon o gyfle, felly, i ddihysbyddu peth o'r tyndra fyddai'n fy nghadw ar flaenau 'nhraed ar yr ymgyrchoedd dirgel hyn oedd yn fodd i fyw i ni'n dau. Erbyn i mi gyrraedd y tŷ roeddwn wedi blino'n lân. Sleifiais i mewn yn dawel; doedd neb ddim callach ym mhle'r oeddwn wedi bod, a hithau mor hwyr. Teimlwn yn fodlon iawn wrth ymestyn yn ddiogel rhwng cynfasau'r gwely. Aethai'r antur fel wats ac roedd gobaith am elw da. Ond bellach roedd angen cwsg arna i gan fod gwaith arall yn disgwyl yn y bore . . .

Dihunais gan deimlo'r haul yn gynnes ar fy wyneb. Trois fy mhen i daro golwg ar y cloc bach ar y bwrdd yn ymyl 'y ngwely. Hanner awr wedi chwech. Grêt. Yr union amser. Ymestynnais yn fodlon cyn neidio o'r gwely. Roedd hi'n hawdd codi'n gynnar ar fore tyner ddiwedd mis Ebrill. Gwisgais amdana i yr hen jîns a'r crys-T du a wisgwn i fynd i weithio ac i lawr â fi ar flaenau 'nhraed i'r gegin; roedd fy atgofion o'r noson cynt eisoes wedi'u gwthio i gefn fy meddwl, a minnau'n awchu am yr antur nesa.

Tra oeddwn i'n aros i'r tegell ferwi, taenais fenyn ar dafelli o fara a gwthio caws rhyngddyn nhw, yn barod at amser cinio. Roedd yn rhaid i baned o goffi cyflym a brechdan farmalêd wneud y tro i frecwast. Llowciais y cyfan heb oedi, a chan ofalu peidio â gwneud gormod o dwrw, slempiais dipyn o ddŵr dros fy wyneb a glanhau 'nannedd. Doedd hynny ddim yn hawdd heb frws. Ond wiw i mi fynd heibio i ddrws llofft Mam a Nhad i'r bathrwm neu fe fyddai un ohonyn nhw'n siŵr o ddeffro a holi i ble'r oeddwn i'n ei throi hi mor gynnar yn y bore. Doeddwn i ddim yn mwynhau'u twyllo nhw, ond arnyn nhw roedd y bai am fod mor gythreulig o barchus.

Teimlwn yn fwy rhydd am fod Bet, fy chwaer, wedi mynd 'nôl i'r coleg ar ôl gwyliau'r Pasg. Roedd Bet yn glyfar. Roedd hi'n gallu cyfri dau a dau a chael yr ateb cywir. Roedd ganddi dafod llym yn ogystal ac roeddwn i'n ei chasáu â chas perffaith byth er pan gychwynnais yn yr ysgol fach a chael fod pob athro ac athrawes, un ar ôl y llall, yn ei gosod yn batrwm o weithgarwch i mi, y brawd diog, didoreth. Roedd rhinweddau Bet wedi'u serio'n ddwfn ar 'y nghof gan mor aml y caen nhw eu rhestru i mi. Hi oedd y disgybl delfrydol, wrth fodd pob athro. Tasg anodd fyddai ceisio'i dilyn hi. A wnes i ddim trio. Roedd canlyniad y frwydr rhyngof fi a Bet wedi'i benderfynu cyn 'mod i allan o 'nghrud. Collwr oeddwn i o'r dechrau.

Ond twt, doedd dim angen codi hen grach. Roeddwn i wedi cael antur fach broffidiol yn ystod y nos ac wedi llwyddo i ddianc unwaith eto y bore 'ma heb i neb wybod pryd y caeais i'r drws mor ofalus o ddistaw ar f'ôl. Cerddais yn hapus heibio i'r gwrychoedd a rannai'r palmant a gerddi'r tai ar y stryd. Gallwn glywed bronfraith yn pyncio oddi ar frigyn coeden geirios a gweld y blagur ifanc yn dechrau agor ar bob llwyn. Disgleiriai'r dafnau gwlith a grogai wrth laswellt y lawntiau a thaniai pelydrau'r haul y gweoedd pry cop a hongiai yn y gwrychoedd. Wrth fynd heibio, tynnais fy llaw drwyddyn nhw. Châi neb arall fwynhau'r rhyfeddod—fi oedd piau golygfa'r bore bach. Ac fe gâi'r pry weithio'n galetach i ddal ei frecwast. Hen greadur hyll oedd o p'run bynnag, yn haeddu dim cydymdeimlad.

Cerddwn yn sionc ond gan gofio cyrcydu wrth fynd heibio i dŷ ambell gymydog busneslyd, rhag ofn cael 'y ngweld yn ei throedio hi'n fân ac yn fuan tua chanol y dre mor gynnar yn y bore. Fe fyddai ambell un o'r gwragedd wrth ei bodd yn cael sôn wrth Mam ei bod hi wedi 'ngweld i—a gofyn iddi i ble'r oeddwn i'n mynd. Byddai trwynau hirion ein stryd ni'n anelu am y Mans ar yr esgus lleiaf. Ond roeddwn i'n hyderus na welsai neb mohono' i heddiw a daliwn i wenu wrth droi i mewn i'r iard lle'r oeddwn i wedi trefnu cyfarfod â Liw a Dando.

Liw oedd fy ffrind penna i a ddwy neu dair gwaith yr wythnos fe fyddai o a minnau'n mynd i gnocio gyda Dando. Wyddai Nhad na Mam ddim am y cnocio. Roedden nhw'n tybio 'mod i'n treulio'r dydd yn pysgota neu'n cerdded y wlad neu strydoedd y dre yng nghwmni Liw a dyna roeddwn i am iddyn nhw'i gredu. Doedd mynd i gnocio o dŷ i dŷ i geisio prynu hen ddodrefn a mân gelfi ddim yn waith teilwng i fab gweinidog parchus; neu felly y byddai Bet yn edliw i mi 'tai hi gartre a phetai hi'n gwybod. Ro'n i'n amau ei bod hi'n fy nrwgdybio ambell waith ond fyddai hi ddim yn prepian heb brawf.

Chwarddwn yn braf wrth feddwl nad oedd ganddi hi na neb arall mo'r syniad lleiaf am y gwaith arall roedd Liw a mi'n ei wneud. Doedd Dando hyd yn oed ddim yn gwybod dim am hwnnw. Fy nghyfrinach i a Liw oedd o. A dyna'r gwaith a roddai wefr a her i mi; a ddôi ag arian i mi—digon o arian i ganiatáu i mi fedru poeri ar feirniadaeth pawb, gan gynnwys Bet ni oedd yn rhygnu byw ar grant myfyriwr. Druan bach! Teimlwn fel estyn cildwrn iddi ambell waith o'i gweld hi'n tindroi o gwmpas y tŷ yn ystod y gwyliau heb buntan fach i ddilyn ei ffansi. Ond roedd yn bosib y byddai'n gwrthod; a phe bai'n gwneud hynny gwyddwn y byddwn yn cynddeiriogi. A wnâi hynny mo'r tro o gwbl. Doeddwn i ddim am dramgwyddo Mam a Nhad ac agor rhwyg amlwg rhyngon ni.

Fu gan Mam a Nhad ddim i'w ddweud wrth Liw erioed. Unwaith yn unig y gwahoddais i o i'r tŷ acw ac roedd hynny flynyddoedd yn ôl, toc wedi i ni gyfarfod am y tro cyntaf. Roedden ni'n dau wedi dechrau yn ysgol Brynpella yr un diwrnod ac wedi cael ein rhoi yn yr un dosbarth. Pwysai Mam arna i o'r dechrau i wahodd fy ffrindiau adre er mwyn iddi hi a Nhad gael cyfle i ddod i'w hadnabod. Âi ffrindiau Bet i mewn ac allan byth a beunydd a Mam wrth ei bodd yn eu croesawu nhw, er ei bod hi'n grwgnach ambell dro pan fyddai'r jar goffi'n wag. Roedd hi am i'm ffrindiau i deimlo'r un mor rhydd i fynd a dod ond pan ddaeth Liw—yr unig ffrind agos oedd gen i—chafodd o fawr o groeso ganddi hi na Nhad. Do'n i ddim yn deall pam. Wnaeth o ddim byd o'i le. Roedd o'n gwrtais a diymhongar wrth y bwrdd te.

Atebodd gwestiynau Nhad ynglŷn â'i hobïau a'i ddiddordebau—ac wedi'r cyfan nid ar Liw roedd y bai nad oedd o'n frwdfrydig dros bêl-droed na bandiau pres na hel stamps. A doedden nhw ddim yn dilyn yr un rhaglenni teledu chwaith. Felly doedd 'na fawr o sgwrs rhwng y ddau. Osgôdd gwestiynau busneslyd Mam ynglŷn â'i gartre a'i dylwyth yn ddeheuig iawn hefyd. Trodd y sgwrs drwy frolio'r addurn ar y gacen siocled ar ganol y bwrdd a holi Mam sut roedd hi'n torri tomatos fel bod y tafelli'n gorwedd mor fflat mewn brechdan. Roeddwn i'n synnu at ei ddiddordeb yn y fath fursendod nes i mi sylwi ar y fflach yn ei lygaid a deall ei fod o'n siarad â'i dafod yn ei foch. Ond roeddwn i'n ffyddiog na wnaethon nhw ddim sylwi ar hynny a'u bod nhw wedi'u swyno ganddo . . . nes i Bet ddechrau pigo beiau ar ôl i Liw fynd adre. Roedd hi ddwy flynedd yn hŷn na mi; yn nosbarth 3 bryd hynny ac yn meddwl ei bod hi'n gwybod popeth.

'Dw i ddim yn deall pam rwyt ti wedi gwneud ffrindia â'r creadur yna,' meddai amser swper. 'Does gan neb air da iddo fo yn yr ysgol ac mae o'n codi ias arna i.'

'Pam?' gofynnais, yn llawn syndod. 'Mae o'n iawn. Mae o'n gwmni da.'

'Ei lygaid o,' atebodd, 'yn gwibio i bob man, byth yn llonydd, ac yn galed fel dwy garreg. Ac mae o mor slic. Ac yn andros o hyll.'

'Rwtsh,' torrais ar ei thraws. 'Dydi Liw ddim yn hyll. Mae'r merched yn ein dosbarth ni'n meddwl ei fod o'n olygus.'

'Efallai ei fod o'n rhy olygus,' meddai Nhad yn dawel, heb ddim o'r direidi arferol yn ei lais.

Sbiais yn syn arno, yn methu deall beth oedd o'i le. Sylwais fod dwylo Mam yn crynu. Doeddwn i ddim yn gallu amgyffred y peth. Roedden nhw'n gyfarwydd â chroesawu pob math o bobl i'r Mans ond welais i erioed mohonyn nhw'n ymateb fel hyn o'r blaen . . . Tewais a gorffen 'y mwyd heb ddadlau na cheisio achub cam fy ffrind gorau.

Allwn i ddim esbonio iddyn nhw gymaint o hwyl roeddwn i'n ei gael yng nghwmni Liw. Doedd neb yn y flwyddyn gyntaf yn gallu tynnu blewyn o drwyn athro mor gyflym ag o. Doedd neb yn gallu cawlio gwers yn fwy llwyr nag o nac yn llwyddo i herio awdurdod yn ddigerydd. Ei gamp fawr oedd peri i athro neu athrawes—yn arbennig y rhai newydd—golli dagrau; torri'u calonnau cyn iddyn nhw gael eu traed odanyn nhw; dyna'r her ac roedd o'n giamster ar y gwaith.

Ac roedd o mor boblogaidd. Ganddo fo y ceid y jôcs mwyaf blasus ac roedd geiriau'r caneuon maswedd i gyd ar ei gof. A'r rheiny fydden ni'n eu canu yn lle geiriau'r emynau yn y gwasanaeth yn y bore gan giglan drwy'r weddi wedyn. Roedd hwyl i'w gael yng nghwmni Liw.

Ond wnes i mo'i wahodd adre wedi'r tro cyntaf hwnnw. Synhwyrais nad oedd o wedi cymryd at Mam a Nhad fwy nag yr oedden nhwythau ato fo.

'Mae dy rieni'n bobol neis,' meddai, 'neis iawn,' ond roedd y caledwch yn ei lygaid fel petai'n gwrth-ddweud ei eiriau.

Chefais i erioed wahoddiad i fynd i'w gartre fo. Roeddwn i'n gwybod, er na chofia i ddim sut, ei fod o'n byw gyda'i fam yn un o'r fflatiau modern hynny a godwyd gan gyngor y dre ym mhen ucha Stryd y Farchnad. Er bod yr ardal yn ddiarhebol o dlawd, welais i erioed olion angen ar Liw. Roedd ei wisg bob amser yn drwsiadus; ei wallt wedi'i dorri'n ôl y ffasiwn diweddara ac roedd ganddo rywbeth yn clincian yn ei boced yn ddi-feth. Doedd ganddo fo ddim tad. Hynny yw, doedd ei dad ddim yn byw gyda'i fam ac yntau. Gofynnais iddo fo unwaith a oedd ei dad wedi marw. Cefais ateb cyflym ac onest.

'Nac ydi,' meddai, 'cymryd y goes wnaeth y diawl a hynny cyn i mi gael 'y ngeni. Welais i 'rioed mohono ond fe ddilyna i ei esiampl o pan ddaw'r cyfle; gadael 'rhen wrach fy mam a chrwydro'r byd i chwilio amdano fo. Fe ddylai estyn croeso cynnes i mi—ei fab—wedi i mi gael hyd iddo fo. Aros di, nes bydda i'n barod . . .'

'Fe ddo i'n gwmni i ti,' broliais i, yn llawn teyrngarwch brawdol ac yn awyddus i ddangos fy mod innau hefyd yn fentrus a'm bryd ar dorri'r tresi a chrwydro'n rhydd yn ôl fy mympwy fy hun.

Sbiodd yn graff arna i trwy gil ei lygad. 'Wnei di?' meddai'n goeglyd. 'Wnei di?'

Pennod 2

Mae'n od fel y bydd ambell sgwrs yn aros yn y cof. Yn ein blwyddyn gynta yn yr ysgol gyfun yr oedden ni pan gawson ni'r sgwrs honno am dad Liw. Holais i erioed mohono fo wedyn. Er mor agos oedden ni, fynnwn i ddim bod yn hy arno. Roedd rhyw elfen o ddieithrwch ynddo oedd yn gwahardd hyfdra hyd yn oed gen i, ei ffrind gorau.

Roedd Liw yn arweinydd naturiol ar y bechgyn yn y dosbarth. Roedd ei ymddangosiad a'i osgo'n ddigon. Roedd o'n dalach na mi ond heb fod yn bolyn lein-ddillad chwaith; ei gorff yn hardd a lliw haul ar ei groen haf a gaeaf, fel pe bai'r haul yn gwenu arno fo, beth bynnag fyddai'r tywydd a'r tymheredd. Welais i erioed bloryn nac unrhyw fath o frychni ar ei wyneb. Roedd ei wallt tonnog, tywyll bron yn ddu, ac edrychai'n gyrliog iawn pan fyddai'n wlyb. Do'n i ddim yn siŵr ynglŷn â lliw ei lygaid; ambell waith tebygwn eu bod nhw'n ddu fel glo, dro arall nofiai gwawl gwyrdd drostyn nhw ac eto pan daniai'i nwydau mudlosgent yn goch tywyll am hir. Efallai mai lliw cnau cyll oedden nhw ond eu bod nhw'n newid yn ôl ei dymer. Ac roedd ganddo dymer y talai i'r dewraf fod yn wyliadwrus ohoni. Doedd o ddim yn tanio'n sydyn fel y byddwn i mewn rhyw dân siafins o angerdd ond yn llosgi fel glo caled, yn hir ac yn effeithiol.

Aeddfedodd yn ifanc. Roedd ganddo flewiach ar ei wefus ucha yn nosbarth 2, yn eillio erbyn dosbarth 4 ac wedi tyfu barf erbyn dosbarth 5, fel her i awdurdod yr ysgol. Cafodd ei ddwyn at Bullivant, y prifathro, a phwysodd hwnnw'n drwm arno am wythnosau i gael gwared ar y tyfiant. Cystal iddo bwyso ar yr haul i newid lle â'r lleuad ddim. Ildiodd Bullivant yn y diwedd ond byddai'n ochneidio'n hyglyw bob tro y digwyddai fynd heibio i Liw yng nghoridorau'r ysgol a byddai'r ochneidiau hynny'n rhoi tipyn o foddhad i Liw. Gynted ag yr ymadawodd â'r ysgol, fe eilliodd.

'Mae o 'di ateb ei bwrpas,' eglurodd wrthyf. 'Hoffes i 'rioed mono fo; hen beth coslyd oedd o ar y gorau ac yn boeth ar dywydd cynnes.'

Doedd dim syndod 'mod i'n ei edmygu. Roedd o mor wahanol i mi ym mhob peth. A bod yn gwbl onest, rhyw greadur bach diddim welwn i fy hun erioed; yn rhy fyr a fymryn bach yn rhy dew er fy lles; fy ngwallt syth lliw-llygoden wedi'i dorri'n fyr ambell waith ac yn hongian yn hir dro arall, yn ôl fy mympwy ar y pryd; fy nghroen yn welw, gydag ychydig o frychni haul dros fy nhrwyn bras; llygaid glas golau a gên lefn y byddai'r gath wedi medru'i llyfu'n lân heb gymorth rasal am flwyddyn a mwy wedi imi ymadael â'r ysgol. Dilynwr wrth reddf, ac o'r herwydd yn gwerthfawrogi'r fraint o gael profi gwefr cwmni Liw yn ystod fy mlynyddoedd yn ysgol Brynpella ac wedi hynny.

Daethom ar draws ein gilydd ar ein diwrnod cyntaf yn yr academi honno. Roeddwn wedi dod ar y bws o Tan'rallt yng nghwmni Bet ond, wedi iddi ddangos y ffordd i lobi'r bechgyn iau i mi, aeth hi at ei ffrind-iau a 'ngadael i ar fy mhen fy hun. Teimlwn yn swil ac yn unig, pawb yn sbio arna i ac yn gwenu'n slei ar fy nillad newydd—y trywsus llwyd a'i blyg yn ddigon llym i dorri bara; y crys llwyd a'i goler yn rhy fawr, a'r tei streips coch a glas tywyll wedi'i glymu'n rhy daclus; y blêsyr ddu a'r bathodyn ar y boced ucha. Pen draig goch oedd ar y bathodyn, yn sbio ar hyd ei thrwyn hir ar dwmpath o lyfrau a chloc y tu ôl iddi ac arwyddair yr ysgol mewn edafedd aur oddi tani, 'Amser dyn ei gynhysgaeth'. Fe gofia i'r arwyddair hyd fy medd.

Roedd Nhad wedi egluro'i ystyr i mi'r noson cynt tra oedd Mam yn taro haearn dros 'y nillad, ond doedd gwybod arwyddocâd yr arwyddair yn ddim help o gwbl i mi a minnau'n sefyll fel pelican llonydd yng nghanol y storm o gyfarch a gweithgareddau dechrau tymor oedd yn chwythu o f'amgylch—ugeiniau o fechgyn yn hawlio pegiau, yn gweiddi ar ei gilydd ac yn 'y ngwthio i'n ddiseremoni o'u ffordd. Roedd pawb yn hel at ei gilydd yn glymau bach hyderus i chwerthin a sibrwd, hyd yn oed y bechgyn newydd gan fod ganddyn nhw ffrindiau o'r un ardal yn gwmni iddyn nhw. Fi oedd yr unig un o ysgol fach Tan'rallt i gychwyn y tymor hwnnw a doeddwn i'n adnabod neb. Chwaraewn â 'nhei a thybio bod y criw yn y gornel agosa'n cael hwyl ar 'y nghorn i. Fe fyddwn wedi dianc, pe bai gen i rywle i ddianc iddo, ond roedd pob man yn ddieithr a theimlwn mor annifyr â physgodyn ar dir sych. Teimlais law ar f'ysgwydd a bu bron i mi neidio drwy 'nghroen. Trois ac edrych ar wyneb cyfeillgar, yn gwenu'n hyderus.

'Sut mae? Liw ydw i.'

Dyna'r tro cyntaf i mi gwrdd â Liw. Roeddwn yn falch iawn o'i gwmni'r bore hwnnw. Roedd o'n dod o hyd i bobman mor rhwydd. Theimlais i erioed yn unig wedyn.

Aeth y blynyddoedd heibio'n gyflym a ninnau'n parhau'n ffrindiau er gwaetha'r lletchwithdod bach hwnnw pan wahoddais i o i 'nghartre. Roedden ni'n dau'n dal yn ffrindiau a ninnau wedi hen ffarwelio â'r ysgol a throi'n cefnau ar fyd addysg.

Chafodd 'run ohonom swydd wedi i ni adael yr ysgol a throi allan i'r byd mawr. A dweud y gwir, doedden ni ddim wedi chwilio'n ddyfal iawn am un. Thrafferthodd yr un ohonom i sefyll arholiad, ac felly doedd gynnon ni ddim cymwysterau a chawson ni ddim gair da gan 'rhen rüwr Bullivant, chwaith. Roedd o wrth ei fodd yn cael gwared arnom a ninnau wedi bod yn ddraen dan ei groen am bum mlynedd hir.

Mewn ardal lle'r oedd gwaith yn brin roedd rhai gwell na ni ar y clwt. A doedden ni'n poeni dim. Pwy a ffeiriai'i ryddid, a'i wneud ei hun yn gaeth i amser a lle, dim ond er mwyn ennill cyflog? Roedd gennym bethau mwy diddorol i'w gwneud i lenwi'r amser—pethau fel mynd i gnocio gyda Dando a chyfri'r elw a wnaem o'n cyrchoedd dirgel liw nos.

Liw a 'nghyflwynodd i i Dando a hynny ar noson seremoni wobrwyo'r plant da ar ddiwedd y bumed flwyddyn. Roedd y seremoni rywfaint yn wahanol y flwyddyn honno, gan fod pawb oedd yn 'madael yn cael rhywbeth—nid tystysgrif ond record a baratowyd dros y ddwy flynedd flaenorol gan ein hathrawon.

Tipyn o jôc oedd y record i Liw a mi. Ond roedden ni'n chwilfrydig i wybod beth roedd yr athrawon wedi'i ddweud amdanom. Felly, er mwyn derbyn y record, roeddem yn bresennol yn seremoni'r cyflwyno a hynny mewn gwisg drwsiadus, fel nad oedd gan Bullivant unrhyw esgus i'n cadw rhag dringo i'r llwyfan. O bosib bod barf Liw wedi tynnu'r ochenaid arferol o'i enau ond heblaw am y farf, ni allai'r mwyaf parchus bwyntio bys atom. Roedd croeso i rieni yn y seremoni yn ogystal ond welson ni ddim angen i fynd â'r gwahoddiad swyddogol adre. Aethai'r un ffordd â sawl gwahodd-iad arall—i lawr pan y tŷ bach a joch dda o ddŵr ar ei ôl.

Yn ystod fy nhair blynedd cyntaf ym Mrynpella fe fyddai Mam a Nhad yn mynychu gweithgareddau'r ysgol yn sgîl Bet. Ond wedi iddi hi fynd i'r coleg chweched dosbarth, welwn i ddim pwrpas iddyn nhw ailadrodd eu profiadau, ac fe ddeallon nhw'n fuan nad oedd y profiad lawn mor ddymunol yn f'achos i ag y buasai yn ei hachos hi. Un peth oedd codi allan fin nos i fynychu Noson Rieni i wrando ar athrawon yn brolio'ch merch; peth arall oedd codi allan i wrando arnyn nhw'n achwyn ar eich mab. A chawson nhw ddim gwybod am seremoni cyflwyno'r record. Doedd mam Liw ddim yno chwaith.

Felly, yn union ar ôl i ni dderbyn ein recordiau—wedi'u rhwymo'n daclus a llun o fathodyn yr ysgol ar y clawr, 'run fath â chylchgrawn ysgol fonedd Pen-landeri—i ffwrdd â ni'n slei bach drwy faes parcio'r athrawon a thros Bont yr Argae i'r man dirgel hwnnw lle y treuliasom nifer dda o'n dyddiau ysgol yn smygu, cynllunio, cynllwynio a diogi. Doedd meddwl am wrando ar y côr yn gwichian drwy'i bethau a'r gerddorfa'n crafu a chwythu ac amled â pheidio'n methu cadw i fyny â fo ddim yn atyniad anodd ei wrthsefyll . . . A'r peth cynta heno, wedi cyrraedd ein cilfach gynnes, oedd edrych drwy'r recordiau . . .

Chawson ni ddim cymaint o hwyl ers cantoedd ac, wedi gorffen chwerthin, cawsom fwy o hwyl fyth yn rhwygo'r pamffledi'n dameidiau mân a'u taflu i'r nant. Fe'u cludwyd yn gonffeti ar ei hwyneb i lawr i'r afon ac i'r môr yn y pen draw, fel llwch Indiad defosiynol ar wyneb y Ganges, os oedd coel ar wersi Cadi Sgrythur.

Wrth weld y darnau'n nofio ymaith, teimlais ias o euogrwydd na allwn i mo'i gelu—roedd yn anodd celu dim oddi wrth Liw. Roedd fel petai ei lygaid yn gweld at fêr esgyrn dyn.

'Falle y bydden nhw 'di bod o help i ni gael gwaith,' mentrais, pan oedd hi'n rhy hwyr i arbed dim, a'r dernyn olaf yn cael ei gario ymaith ar wyneb y dŵr.

Chwarddodd Liw, gan fy nghalonogi fel y gwnaethai laweroedd o weithiau cyn ac ar ôl hynny:

'Paid â phoeni, fe gei di waith, os mai dyna wyt ti eisiau,' meddai. 'Dere gyda fi. Fe ga i waith i ti.'

Pennod 3

Roeddwn i'n hollol siŵr y medrwn i ymddiried ynddo fo. Doedd o erioed wedi torri'i addewid i mi o'r blaen. Fe'i dilynais o'n ufudd i gyrion y dre lle'r oedd carafân ar gwr y comin—cartre Dando. Roedd Liw eisoes wedi arloesi'r tir a thros baned o de cryf deuthum i adnabod Dando ac i wybod sut waith oedd ganddo i'w gynnig.

Drwy brynu a gwerthu dodrefn ail-law y llwyddai'r hen dincar i gael deupen y llinyn ynghyd. Roedd yn amlwg o'r wên fodlon a ymledai dros ei weflau fod y gwaith wrth ei fodd. Eglurodd fel y byddai'n tanio peiriant yr hen lorri wichlyd a gyrru i unrhyw gyfeiriad a fynnai—i berfeddion cefn gwlad gan amlaf. Roedd ganddo bersonoliaeth hynaws a thafod aur a doedd dim syndod iddo lwyddo i swyno sawl cwpwrdd cornel, dresel tri-darn, cadair siglo a chist dderw o'u corneli i gefn y lorri.

Y gwaith roedd o am i Liw a fi ei wneud oedd cario'r dodrefnyn allan o'r tŷ gynted ag y cytunid ar bris, a chyn i'r perchennog gael amser i ailfeddwl. Ni ellid cyhuddo Dando o dwyll, wrth gwrs—talai am bob dim roedd o'n ei brynu a hynny gydag arian parod—ond pe digwyddai gael ambell ddodrefnyn am bris is na'i werth, wel, bai'r perchennog oedd hynny. Marchnatwr oedd Dando; roedd yn rhaid iddo wneud peth elw o'i fusnes.

'Gwneud cymwynas â phobol fydda i,' eglurodd, 'chwilio nes cael gafael ar rywbeth mae un am ei gael ond heb wybod ymhle i daro'i law arno ac un arall am ei werthu heb sylweddoli o'r blaen bod 'na werth iddo.'

Ac roedd o'n hollol ddiffuant wrth ddweud hynny. Mynnai nad oedd yn gwneud ond y mymryn lleiaf o elw, a disgwyliai'r hen gadno cyfrwys i mi a Liw lwytho a dadlwytho'r hen ddodrefn trwm am y nesaf peth i ddim, gan daeru na allai fforddio talu rhagor.

'Arna i mae'r cyfrifoldeb,' oedd ei esgus, wrth estyn pumpunt i ni am ddiwrnod caled o waith, neu ddecpunt weithiau pe bai wedi digwydd taro ar fargen arbennig o dda.

Sbio'n syn wnes i pan gyfeiriodd o at y cyflog y noson gyntaf honno yn y garafán. Doedd hi ddim gwerth i Liw a fi godi o'n gwelyau am gyn lleied â hynny a ninnau'n cael pres poced gan y llywodraeth at iws bob dydd. Allwn i ddim deall pam fod Liw'n cytuno i'r fath fargen ond wnes i ddim dadlau yng ngŵydd yr hen ddyn. Wedi 'madael â'r garafán edliwiais y cildwrn pitw i Liw a gwenodd yn slei arnaf.

'Cyn bo hir,' addawodd, 'byddwn wedi ennill digon i brynu lorri neu fen fach i ni'n hunain ac wedyn caiff Dando a'i ddodrefn ail-law fynd i grafu . . .'

Wfftiais. 'Prynu lorri . . . ar £5 y tro?'

A dyna pryd yr eglurodd Liw beth oedd ganddo mewn golwg. A dechreuais innau werthfawrogi bod sawl ffordd o gael Wil i'w wely. Dan gochl gweithio gyda Dando, gallem gyflawni gorchwylion eraill a ddôi â llawer mwy o arian na'r cildwrn y bwriadai ef ei roi i ni.

Wrth fynd o gwmpas efo fo, caem gyfle i ymweld â thai pobl—pob math o bobl—dros ardal eang, a thra byddai Dando'n bargeinio am ryw ddodrefnyn mawr, byddai Liw yn sbecian o gwmpas y gegin neu'r parlwr ac yn nodi'r mân addurniadau oedd yn llenwi'r silff-ben-tân neu'r cwpwrdd cornel. Roedd Liw yn gwerthfawrogi pethau cain. Roedd yn addysg ei weld o'n tynnu'i law dros fugeiles tsieni neu jwg hufen wedi'i llunio o arian. Roedd fel petai'n eu hanwesu. Doedd gen i ddim syniad am werth pethau felly. Gallwn i edrych ar gwpan fach euraid am oriau heb ystyried bod y rhif 803 ar ei thin yn brawf ei bod hi werth miloedd tra bod ei chymar—er ei bod hi cyn dlysed bob mymryn, ond heb y rhif—yn werth llai na decpunt. Ond gwyddai Liw.

Doeddwn i ddim yn cael mynd o gwmpas a'm llygaid ynghau chwaith. Roedd gen i jobyn bach i'w wneud, sef cymryd golwg slei ar gloeau'r drysau a'r ffenestri ac yna—pe bai Liw yn ffansïo rhywbeth mewn tŷ arbennig—byddem yn ymweld â'r tŷ eto liw nos, wedi i gyfnod gweddus fynd heibio, ac yn ddiarwybod i Dando. Chawson ni erioed drafferth i fynd i mewn i unrhyw dŷ. Fethais i erioed â datrys unrhyw glo. Ond fe synnais faint o bobl oedd yn troi am eu gwelyau heb drafferthu cloi pob mynediad i'w tai—gan adael ffenest y bathrwm ar agor, er enghraifft.

Doedden ni ddim yn cymryd llawer o'r un lle. Yn aml, dim ond un peth, cyn belled â bod hwnnw'n ddigon gwerthfawr i gyfiawnhau'r drafferth. Doedden ni ddim yn drachwantus. Amaturiaid sy'n cymryd popeth, yn gwagu lle ac yn cael eu dal. Er ein bod ni'n ifainc, doedden ni ddim yn amaturiaid. Doedd dim byd roedd Liw'n ei wneud yn amaturaidd. Os oedd ei dad o'n ddihiryn, roedd ganddo fab y gallai ymfalchïo ynddo.

Wedi i mi dorri'r clo, byddai Liw yn mynd i mewn ac yn dewis un neu ddau o bethau gwerthfawr. Byddwn i'n aros y tu allan i wneud yn siŵr na ddôi neb i daro ar ei draws o. Fe fuon ni'n llwyddiannus iawn. Roedd Liw mor glyfar yn aildrefnu'r pethau ar y silff fel nad oedd rhai o'r perchenogion yn sylwi ar eu colled, ac, yn aml, ni chlywem ddim am y peth wedyn, na gweld dim amdano yn y papur lleol. Fe gafodd Dando druan ei amau unwaith ar ôl i ni gymryd un neu ddau o addurniadau ifori o stafell hen wraig mewn cartre henoed. Roedden ni wedi bod yno'n symud wardrobs trwm, hen-ffasiwn, ac fel yr oedden ni'n stryffaglio ar hyd y coridor cul, digwyddodd Liw edrych i mewn drwy un o'r drysau agored.

'Rho hwn i lawr . . . ar unwaith,' mynnodd, a chan feddwl bod y wardrob yn llithro o'i afael, gollyngais fy mhen i'n ofalus i'r llawr.

'Cadw olwg,' sibrydodd wedyn, 'dw i am gael cip manylach ar y stafell yma. Fe eglura i pam yn nes ymlaen.'

Roedd yn dda gen i gael gorffwys am eiliad neu ddwy a fuodd Liw ddim yn hir cyn ailafael yn ei ben o o'r wardrob.

'Ffwr' â ni,' meddai, fel petai wedi cael ail wynt o rywle, a gwyddwn ei fod o wedi taro ar rywbeth o bwys. Rhywbeth o bwys mawr, a dweud y gwir: casgliad o addurniadau wedi'u cerfio o ifori.

Un min nos, ryw dri mis yn ddiweddarach, aethom yn ôl i'r cartref, dim ond ni'n dau. Roedd y preswylwyr yn y stafell gyffredin yn gwylio'r teledu a'r llofftydd i gyd mewn tywyllwch. Dyna'r gwaith hawsa i ni ei wneud erioed; a wnaethon ni ddim breuddwydio y byddai neb yn sylwi fod y ddau Fwda bach a ddygasai Liw wedi diflannu. Ymddangosai pob un o'r hen bobl mor fusgrell ac anghofus. Ac roedd y nyrsys yn rhy brysur i gadw golwg ar dringalŵns pobl eraill. Ond am unwaith roedden ni wedi camgymryd. Roedd perchennog y ddau Fwda yn meddwl y byd o'i chasgliad ifori ac yn treulio oriau bob dydd yn ei drefnu a'i aildrefnu, yn ôl yr adroddiad yn y papur. Fe sylwodd hi'n syth eu bod nhw ar goll.

Galwodd plismon i holi Dando, gan i'r Metron gofio'n bod ni wedi bod yn gweithio yno, ond roedd gan Dando brawf pendant ei fod o'n rhywle arall y noson honno a digon o dystion i gadarnhau'i air. Holodd y plismon ddim amdanon ni. Diolch byth! Ond roedd Dando'n ein drwgdybio ryw fymryn.

'Wna i ddim holi gormod. Gall y Glas wneud eu gwaith eu hunain. Ond peidiwch chi â dod â helynt at fy nrws i,' rhybuddiodd. 'Dda gen i ddim helynt . . .'

Ar ôl y profiad hwnnw fe fuon ni'n hynod o ofalus. Fe dawelodd yr helynt am yr ifori cyn bo hir. Efallai i'r hen wraig farw—roedd yn hen bryd iddi, meddai Liw.

Ac fe ddechreuon ni ymddiddori mewn eglwysi, amgueddfeydd a neuaddau. Roedd yn syndod beth oedd i'w gael mewn llefydd felly—cyn belled â bod rhywun yn gwybod ym mhle i chwilio. Ac fe wyddai Liw.

Fo fyddai'n gwerthu'r ysbail ac yn rhannu'r elw. Doeddwn i ddim yn fodlon iawn ar y drefn honno oherwydd roedd yn rhaid i mi dderbyn ei air o ynglŷn â'r pris a gawsai ac ambell dro ymddangosai'n afresymol o isel. Bryd hynny, wedi celcio canran at brynu fen neu lorri, roedd fy siâr i yn fychan iawn.

Ond doeddwn i ddim gwell o rwgnach. Fyddai gen i ddim syniad ble i ddod o hyd i brynwyr. Doedd pobl oedd yn fodlon prynu trysorau bach drud heb holi o ble'r oedden nhw'n dod ddim yn ymwelwyr cyson mewn mans, hyd y gwyddwn i. Ac wedi'r cwbl, doeddwn i ddim yn brin o bunt fach i fwynhau sbri pan godai'r awydd arna i ac roedd gen i lawer mwy i'w wario nag oedd gan Bet na neb o'i ffrindiau.

Ystyried faint oedd gwerth y llestr pres a gawsom yn ystod y nos yr oeddwn pan drois i mewn i'r iard. Doeddwn i ddim yn talu llawer o sylw i'r ffordd o 'mlaen a baglais dros linyn oedd wedi'i glymu rhwng pyst y gât. Lawr â mi fel coeden, i fesur fy hyd yn y baw. Wrth i mi godi clywais Liw'n chwerthin a'i weld o'n dod heibio i dalcen yr hen furddun brics coch lle y cadwai Dando ei lorri. Sgyrnygais arno'n ddig. Pam oedd o wastad yn chwarae jôcs arna i? Sylwais ar ei lygaid yn caledu pan ddaeth yn ddigon agos i weld fy ngwep. Ac roedd hynny'n ddigon o rybudd i mi. Ymdrechais i wenu arno. Roeddwn i wedi deall o'r cychwyn nad oedd hi'n ddoeth i groesi Liw.

Bodlonodd ar y wên a rhwbio'i ddwylo yn ei gilydd yn foddhaus.

'Fe fyddwn ni'n lwcus heddiw,' cyhoeddodd. 'Dw i'n teimlo'r awel yn chwythu lwc dda tuag aton ni.'

'Gad dy ddwli.' Ymdrechais i swnio'n ddidaro ond roedd yn andros o anodd a chledrau 'nwylo'n llosgi a'm hesgyrn wedi'u sigo drwyddyn nhw ar ôl y codwm.

'Dim dwli, mêt, ffaith.' Roedd ei wên cyn lleted â'r haul. Fyddai menyn ddim yn toddi yn ei geg. Gafaelodd yn f'ysgwydd. 'Ti a fi gyda'n gilydd, allwn ni ddim methu.'

Oedd o'n fy ngwatwar? Nid dyna'r tro cyntaf i mi deimlo'n ansicr o Liw. Ow, roedd o'n greadur annifyr ar brydiau. Soniodd yr un ohonom am y noson cynt. Roedd yn rheol gennym—dim gair nes bod yr ysbail wedi'i werthu a'r pres yn ddiogel yn ein pocedi.

Gyda hynny, gwelsom Dando yn dod drwy'r gât ac yn cerdded yn drwm tuag atom, ei wyneb yn ddarlun o ddiflastod. Roedd yn amlwg nad oedd o'n rhannu dim o hyder Liw.

'Noson dda neithiwr yn ôl d'olwg,' oedd cyfarchiad y cnaf i'r hen foi.

Atebodd Dando mohono, dim ond dringo'n drafferthus i gab y lorri ac agor yr ail ddrws i ni'n dau gael ymuno ag o. Heb air o'i geg, taniodd y peiriant a gyrru o'r iard. Parodd ei dawedogrwydd i Liw barablu mwy a mwy o nonsens. A phob tro yr ochneidiai Dando, chwarddai lond ei geg. Gan 'mod i'n eistedd rhyngddyn nhw, teimlwn yn anghyffyrddus iawn, a byddwn wedi bod yn ddiolchgar petai

Liw wedi rhoi'r gorau i'w bryfocio. Roedd fel petai rhyw ysbryd aflonydd yn mynnu'i fod o'n ei wneud ei hun mor annymunol ag y gallai, i roi prawf ar natur fodlon yr hen ddyn.

PENNOD 4

Cododd ysbryd Dando fymryn wedi iddo droi trwyn y lorri tua'r dwyrain a gadael y dre o'r tu ôl i ni. Wedi cyrraedd y groesffordd ar ben y rhiw a mynd yn ein blaenau am ryw dair milltir, cyfeiriodd y lorri i'r chwith.

'Dw i ddim wedi bod ffor'ma ers cantoedd,' meddai. 'Ugain mlynedd neu fwy, efallai. Cyn eich geni chi, fois bach. Mae hi'n hen bryd i mi daro golwg arall dros yr ardal. Pwy a ŵyr beth ddaw i'r fei wrth fentro . . .?'

Wedi gyrru am bum milltir rhwng gwrychoedd uchel ar ffyrdd troellog, daethom at groesffordd arall. Arafodd Dando ac aros. Dringodd allan o'r cab ac edrych o'i gwmpas i bob cyfeiriad, ei wyneb yn llawn penbleth, cyn dod yn ei ôl.

'Dw i'n cofio dim am groesffordd yma,' meddai, gan grafu'i ben a chrychu'i dalcen. 'Rhaid 'y mod i wedi methu'r ffordd yn rhywle . . .'

'I'r chwith eto,' meddai Liw yn hyderus.

'Wyt ti'n gyfarwydd â'r ardal 'te?' gofynnodd Dando a'i aeliau trwchus yn diflannu dan gantel ei het gan gymaint ei syndod. Ond trodd yr olwyn yn ufudd i'r chwith, 'Mae'r lle'n ymddangos yn ddieithr iawn i mi.'

Eglurodd Liw ddim sut roedd o'n adnabod yr ardal ond cyfeiriodd Dando drwy'r dryswch rhyfeddaf o ffyrdd cul, diolwg yn hollol ddibetrus. Erbyn meddwl, fûm i erioed ar goll yng nghwmni Liw.

Roedd ganddo drwyn di-feth i'n harwain i'r union fan yr oedd am fynd.

'Gobeithio bod bargen fach werth ei tharo'n aros amdanon ni yn rhywle heddiw,' ochneidiodd Dando. 'Mae angen bargen arna i, oes wir. Mae cynnwys yr hen hosan wedi disgyn mor isel, does dim diben mynd iddi mwy . . .'

'Wedi bod yn estyn dy law iddi'n amlach ac yn ddyfnach nag arfer, wyt ti?' holodd Liw.

'Mae'n rhaid i ddyn fyw,' atebodd Dando'n fwyn, 'ac mae pob dim mor gythreulig o ddrud.'

'A chwmni Rosi'r Angor Las yn ddrutach na dim,' pryfociodd Liw. 'Fe fyddai'n biti iddi hi gael ei chadw'n brin.'

Roeddwn i'n rhyfeddu. Gwyddai Liw am wendid-au pawb. Chlywais i'r un si cyn hyn fod Dando'n cyboli gyda merched. Roeddwn i'n meddwl ei fod o'n rhy hen i bethau fel'na. Ond roedd Liw'n gwybod yn wahanol. Ac nid dyfalu'r oedd o. Roedd sail i'w ensyniadau bob tro. Fe'i cyhuddais i o unwaith o fod yn fusneslyd a derbyniodd yntau'r cyhuddiad fel canmoliaeth.

'Chollodd neb ddim drwy wybod y gwaetha am ei gymydog. Fe dalai i ti, mêt, wrando mwy wrth ddrws stydi dy dad,' meddai.

Chwarddais ar y fath syniad anhygoel. Allwn i ddim credu bod y bobl oedd yn ymweld â Nhad—pobl gyffredin y pentre oedd yn addoli yng nghapel Siloam—yn ymdrybaeddu mewn pechodau cnawdol. Giamocs actorion neu bobl y cyfryngau oedd pethau fel'na iddyn nhw—storïau i lenwi'r papurau Sul.

'Mae Rosi'n garedig iawn wrth hen greadur gwirion fel fi.' Gwenodd Dando'n sydyn a sylwais fel roedd ei lygaid gleision golau'n pefrio'n hapus.

'Am bris,' gwatwarodd Liw, a'r tro dirmygus hwnnw fyddai'n cyffroi fy stumog i bob tro y sylwn arno yn chwarae ar hyd ei wefus uchaf.

Ond doedd Dando ddim am gymryd yr abwyd. 'Gwerth pob dimai a cheiniog dros ben,' meddai'n fodlon, gan ganolbwyntio ar y ffordd oedd wedi gwaethygu erbyn hyn ac yn hawlio pob mymryn o'i sylw. Roedd yn amlwg yn fwy hapus wedi dwyn Rosi i gof. Doedd yr un o'r ddau'n ifanc,yr un o'r ddau'n ddeniadol nac yn arbennig o lân, meddwn wrthyf fy hun, ond roedden nhw'n medru rhoi pleser i'w gilydd yr un fath. Roedd Rosi'n lwcus, mewn ffordd, oherwydd roedd Dando'n ddyn ffeind. Roedd yn anodd iawn ei gynhyrfu hefyd—neu fe fyddai wedi'n taflu ni ar ein pennau allan o gab y lorri ugeiniau o weithiau. Roedd Liw wrth ei fodd yn tynnu arno, yn unig swydd er mwyn ceisio'i wylltio. Dyna'i natur o; byth yn hapus os nad oedd o'n rhoi tro ffyrnig yng nghawl rhywun. Nid damwain mohono. Fe fyddai'n cynhyrfu pobl yn fwriadol.

'Pan fo rhywun yn colli arno'i hun o d'achos di,' meddai wrtha i unwaith, 'rwyt ti'n feistr arno.'

Cofio hen bethau felly'r oeddwn i'r bore hwnnw wrth deithio ar hyd ffordd a redai drwy'r bryniau gan ddringo a disgyn, dringo a disgyn o hyd. Roedd y tirlun yn ddigon difyr ond doedd prin lathen o'r ffordd yn wastad. Diolchais mai Dando oedd yn gyrru gan fy ngadael i'n rhydd i ymlacio yn y cab ac edrych dros y caeau; gweld yr haul yn codi'r tes a phob dim yn ymddangos fel darlun mewn llyfr i blant bach, yn lliwgar iawn ond ychydig bach yn afreal; fel golygfa o wlad y tylwyth teg. Roeddwn i'n teimlo'n gysglyd; am i mi gael cyn lleied o gwsg y noson cynt, efallai, neu oherwydd bod grwndi'r lorri yn fy suo a 'ngosod i dan ryw fath o hud. Wrth hepian gallwn anghofio am Liw a'r cymhlethdod teimladau roedd o'n ei greu ynof fi; y teyrngarwch ffyddlonaf yn gymysg â'r anniddigrwydd blinaf. Ond hyd yn oed wrth feddwl am yr anniddigrwydd, llifodd ton o gywilydd drosof fi. Ac yntau wedi bod y fath gymar i mi, a hynny dros gyfnod mor faith, allwn i ddim bod yn annheyrngar tuag ato, er iddo fy maglu'n fwriadol.

Dechreuodd Liw ganu a thorrodd ei lais ar draws fy myfyrion gan fy nhynnu'n ôl yn blwmp i'r byd presennol, real. Roedd ganddo lais da ac roedd y dôn yn hwyliog a'r geiriau'n adrodd stori ddifyr am blismon a'i bastwn bach a weithiai ddydd a nos. Fe ddenodd Dando a mi i ymuno yn y gytgan, yn driawd swynol, er bod Dando'n gwthio rheg anorfod i mewn yn awr ac yn y man pan lithrai un o'r olwynion i dwll dyfnach na'r rhelyw yn y ffordd.

'Mae cyflwr y ffyrdd gwledig 'ma'n gywilydd,' achwynodd cyn hir. 'Bron na ddwedwn i fod angen Becca fodern i godi baner y tu allan i swyddfa'r Cyngor Sir. Ac mae'r dreth ar gar a lorri mor drychinebus o uchel . . .'

'Does gen ti ddim hawl i gwyno,' meddai Liw'n ddigywilydd, yn gadael ei gân ar ei hanner, 'thalaist ti 'rioed dreth ar na char na lorri.'

Roedd hynny'n wir. Doedd Dando ddim yn gredwr cryf mewn trethu 'i hun er budd cymdeithas.

'Achwyn ar ran y pŵr dabs sy'n gwneud rydw i,' oedd ei ateb.

'Does dim llawer o neb yn talu trethi o gwbl ffor 'ma,' meddwn innau, cyn i'r ddadl boethi. 'Welais i ddim tŷ na thwlc am filltiroedd. Wyt ti'n siŵr dy fod ti'n gwybod i ble'r wyt ti'n ein harwain ni?' Trois at Liw. 'Dw i'n dechrau amau'n bod ni ar ein ffordd i 'nunlle.'

Gwenodd Liw yn ddirgel, heb droi i edrych arna i ond gan ddal i syllu'n freuddwydiol drwy'r ffenest flaen. 'Wyt ti'n 'y nghofio i'n methu erioed?' gofynnodd yn felfedaidd.

Roedd yn rhaid i mi gyfaddef nad oeddwn i ddim, ddim un waith mewn bron i ddeng mlynedd o'i adnabod.

Doedd Dando'n pryderu dim am y diffyg poblogaeth. 'Cawn well croeso ar ôl cyrraedd,' meddai'n fodlon. 'Bydd pobol na fyddan nhw'n gweld neb dieithr o un mis i'r llall yn agor eu drysau led y pen. Mae'n dda ganddyn nhw gael sgwrs fach. Mae'n byrhau'r gaeaf i ambell un ac yn dwyn ychydig bach o gynnwrf i'w bywydau undonog. Y rhai sy'n gorfod ateb y drws i sipsiwn haerllug a'u bath bob pum munud, dyna'r sawl sy'n colli amynedd, yn troi'n surbwch ac yn cau'r drws yn glep yn wyneb marchnatwr onest fel fi.'

'Gobeithio dy fod ti'n iawn,' meddwn, 'neu fe fydd dy gostau petrol yn fwy na beth gesgli di heddiw 'ma.'

Roedd yr haul yn codi'n uwch ac roedd hi'n fwll iawn yn y cab. Cyn hir roedd gen i gur pen gyda'r mwyaf poenus a ddioddefais erioed ac eisteddais yn ddistaw gan obeithio y peidiai'r pwnio y tu ôl i'm llygaid. Roedd Liw yn dawel yn ogystal ond nid am yr un rheswm. Sylwais ar yr olwg ar ei wyneb. Edrychai 'mlaen yn eiddgar, os nad yn awchus, at rywbeth. Ceisiais ddyfalu at beth. At gyrraedd rhyw bentre er mwyn i Dando daro bargen? Rown i'n amau.

Ymhen hir a hwyr—wedi disgyn i lawr rhiw serth a thros bont gul—fe'n cawsom ein hunain mewn pentre bychan, os pentre hefyd. Un ar hugain o dai yn unig oedd yno. Ro'n i wedi'u cyfri nhw wrth ein bod ni'n croesi'r bont. Roedd eglwys yr ochr draw i'r ffordd a mynwent o'i chwmpas hi. Doedd dim golwg o siop na thafarn nac ysgol na chapel yn unman.

'Rydyn ni wedi cyrraedd,' meddai Liw. 'Dyma bentre Pant Du. Aros, Dando.'

'Gwlad yr addewid,' murmurodd Dando, wrth dynnu i mewn at ymyl y ffordd a diffodd y peiriant.

Digwyddais edrych ar Liw a chael braw gwirioneddol y tro hwn. Roedd o'n gwenu, ei wefusau wedi'u tynnu'n ôl fel safn ci yn datgelu'i ddannedd main, gwyn. Roedd yr awch yn dal yn ei lygaid. Deallais yn sydyn pam fod dwylo Mam yn crynu'r holl flynyddoedd hynny'n ôl wrth sôn amdano. Parodd ei olwg farus i mi golli 'ngwynt am eiliad.

Gyda hynny, taflodd winc fawr ata i a throdd y wên yn chwerthin iach. Llaciodd y tyndra ac anadlais yn rhydd eto. Roedd y cur pen wedi codi hen fwganod hyll, yn hollol ddireswm, a pheri 'mod i'n dychmygu pob math o bethau cas heb unrhyw sail iddyn nhw o gwbl. Roedd Liw a fi wedi bod yn gyfeillion ers blynyddoedd a'r un oedd o heddiw ag oedd o ddoe a'r wythnos diwetha. Doedd gen i ddim achos i'w ofni. Dim. Dim o gwbl.

Pennod 5

Roedd yn dda gen i ddringo allan o'r cab mwll oedd yn llawn oglau trymaidd olew a chwys. Tynnais anadl ddofn gan obeithio clirio 'mhen oedd fel meipen erbyn hyn ond cefais fy siomi. Doedd hi ddim gwell tu allan nag oedd hi yn y lorri. Roedd rhyw ddrewdod afiach—yn ddigon ffiaidd i godi cyfog ar rywun—yn treiddio drwy'r awyr.

'Ewcs,' meddwn, gan wasgu hances dros fy ffroenau a sbio ar y ddau arall, 'mae 'na ddafad neu fuwch wedi marw yn un o'r caeau 'cw ers dyddiau a heb gael ei chladdu.'

'Rwyt ti wedi troi'n ffyslyd iawn yn sydyn,' meddai Liw, er syndod i mi—*fo* oedd y mwyaf cysetlyd ohonon ni fel arfer. Ar ei waetha roedd o cynddrwg â hen ferch o athrawes ysgol neu hen lanc yn byw ar ei ben ei hun. Ond doedd y drewdod hwn yn menu dim arno, meddai.

Crychodd Dando'i drwyn ond ddywedodd o'r un gair am y drewdod.

'Dewch, fechgyn, at ein gwaith,' meddai, gan ein harwain tua'r rhes tai. Roeddwn i'n ddigon parod i'w ddilyn. Roedd yr oglau'n treiddio drwy blygiadau'r hances a gobeithiwn y byddai'r awyr yn gliriach yn nes at y tai, ond fe'm siomwyd unwaith eto. Allwn i ddim dirnad neb yn byw yn y fath ddrewdod.

'Ti ddaeth â ni yma,' meddai Dando wrth Liw. 'Ymhle mae'r lle gorau i ddechrau cnocio?'

'Yn y tŷ cynta, wrth reswm,' atebodd Liw, 'ymhle arall?'

'Iawn,' cytunodd Dando a chychwyn at y gât. Roedd honno'n frau iawn a dwy neu dair o'r styllod ar ei thraws wedi torri, ac allwn i ddim peidio â sylwi bod y drws yn crefu am baent hefyd. Roedd gwydr un o'r ffenestri wedi cracio a thrwch o lwch dros bob chwarel.

Doedd golwg y lle'n poeni dim ar Dando. Cawsai hyd i lawer bargen dda mewn lle tlawd a'r perchennog yn fodlon gwerthu'i drysorau pennaf er mwyn sicrhau arian parod. Agorodd y gât ac amneidio arna i i'w ddilyn at y drws ffrynt. Sleifiodd Liw i'r cefn. Dyna'n trefn ni; dau i'r ffrynt i ddal pen rheswm gyda'r sawl fyddai'n ateb y drws, ac un i'r cefn i sbrotian. Cnociodd Dando'n awdurdodol o hyderus.

Gwraig ganol-oed ddaeth i agor i ni, sgerbwd o ddynes esgyrnog, mor aflêr ei golwg â'i chartre. Allwn i ddim peidio â rhythu arni. Hongiai'i gwallt yn gudynnau blêr dros ei hysgwyddau llydain. Awn ar fy llw na chafodd o mo'i gribo ers wythnosau. Roedd ei dillad yn garpiau budron am ei chorff, ac yn edrych fel 'taen nhw wedi'u prynu ar gyfer rhywun mwy cnawdol o lawer na hi. Ond nid ei golwg hi a'm syfrdanodd. Na, y peth a hoeliodd fy sylw, gan beri i mi anghofio edrych ar glo'r drws na'r ffenest, oedd y pryfyn glas mawr a lynai i'w thalcen uwchben ei llygad dde.

Rhaid bod Dando wedi sylwi ar y pryfyn hefyd ond roedd o'n ŵr bonheddig, er gwaetha'i ddillad tlodaidd a'i wyneb garw. Cymerodd arno beidio â sylwi ar ymddangosiad y wraig nac ar y pryfyn. Cododd ei hen het drilbi i'w chyfarch fel y gwnâi'r boneddigion ers talwm, yn codi het silc wrth gyfarfod eu cydnabod.

'Madam,' meddai, gan foesymgrymu o'i blaen yn union fel petai hi'n dywysoges o waed, 'Madam, dw i'n teithio drwy'r parthau hyn er mwyn . . .'

Roeddwn wedi clywed llith Dando ugeiniau o weithiau o'r blaen; yr un stori, fwy neu lai, oedd ganddo bob tro, ond doeddwn i ddim wedi gweld pryfyn fel'na o'r blaen, yn las ac yn dew ac yn ddiog, fel petai wedi bwyta'i wala ac wedi cael hyd i le da i orffwys ar ôl ei bryd. Allwn i ddim peidio â rhythu arno a synnu nad oedd hi, y wraig, ddim yn cymryd y sylw lleiaf ohono. Meddyliais am eiliad mai brôts oedd y peth atgas—wedi'r cyfan, roedd merched India'n gwisgo tlysau yn eu trwynau. Ond fe'i gwelais o'n symud—ddim ymhell, ryw hanner modfedd araf ar hyd ei thalcen, gan aros eto yn y pant rhwng ei llygaid ac uwchben ei thrwyn. Roedd y cripian swrth mor ffiaidd fel na allwn i ddim dal yn hwy. Roeddwn ar ffrwydro. Roedd yn rhaid i mi ddweud rhywbeth.

'Musus,' meddwn, a'r geiriau'n cwympo dros ei gilydd, 'Musus, mae 'na bry glas yn cerdded ar draws eich talcen . . .'

Hyd hynny, traethu Dando oedd wedi hawlio'i sylw ond pan glywodd hi'n llais i, trodd ei phen i edrych arna i. Edrychodd i fyw fy llygaid ac roedd yr edrychiad yn ddigon—yn fwy na digon—i roi taw arna i. Ddywedais i ddim mwy. Feiddiwn i ddim. Roedd yr olwg yn y llygaid pŵl yn fy ngorchymyn i ddal fy nhafod. Wrth feddwl amdano wedyn, wyddwn i ddim beth y gallai hi fod wedi'i wneud i mi ond am eiliad teimlwn yn gwbl sicr y gallai hi fod wedi 'nhorri'n ddau hanner petai hi wedi dewis troi'r llygaid lasar hynny'n arf.

Wedi i mi fod mor ddigywilydd ag agor 'y ngheg heb wahoddiad, doedd dim croeso i Dando fynd i'r tŷ i gael sbec ar ddim. Doedd dim llawer o awydd arno p'run bynnag. Roedd yr edrychiad hwnnw wedi llesteirio rhywfaint ar ei sêl yntau hefyd. Wedi inni ffarwelio â hi mor gwrtais ag y gallem, 'nôl â ni'n dau at y gât lle'r oedd Liw yn ein disgwyl.

'Doedd dim byd o werth yn y cefn,' oedd ei gyfarchiad. 'Dim byd heblaw tomen o ludw, sbwriel a gardd a'i llond o chwyn. Doedd 'na'r un sied na dim. Ac fe gawsoch chi'ch dau eich cadw ar stepen y drws. Dim llawer o hwyl fan'na felly.'

Siglo'i ben wnaeth Dando a'i wep yn oddefgar tu hwnt. Wnaeth o ddim edliw 'mod i wedi agor 'y ngheg yn rhy fuan gan roi pen ar y mater cyn ei gychwyn ond awgrymodd fod Liw yn mynd efo fo at y drws nesaf yn y rhes a minnau'n mynd i'r cefn i sbecian. Ddadleuais i ddim. Roeddwn i'n teimlo'n annifyr. Er i'r diwrnod gychwyn mor fendigedig, roedd yr antur hon wedi suro o'r funud y cefais i'r codwm hwnnw, a Liw oedd ar fai, y cnaf.

Roedd golwg fwy syber ar yr ail dŷ ac wrth i Dando a Liw gnocio ar y drws ffrynt, llithrais i gyda'r talcen i'r cefn i sbio drwy ffenest y gegin. Roedd techneg arbennig i sbio drwy ffenest. Doedd hi ddim yn cymryd yn hir i'w dysgu ond doedd hi ddim yn hawdd ei pherffeithio. Roeddwn i'n feistr arni. Roedd yn rhaid sefyll yn ôl fymryn a chymryd arnaf 'mod i'n dilyn y lleill i'r ffrynt neu'n disgwyl iddyn nhw 'nilyn i i'r cefn. Roedd yn rhaid ymddangos yn ddiniwed rhag codi amheuon ym meddwl y sawl a allai fod yn gwylio o ffenest y llofft neu dros wal drws nesaf. Wedi cyrraedd y cefn a sicrhau—trwy wylio'r cysgodion ar wydr y ffenest—nad oedd neb yn y stafell dan sylw, y cam nesaf oedd mynd yn nes a cheisio cael golwg fanylach. Ond thalai hi ddim i rywun chwilfrydig daro'i ben dros y ffens i holi be oeddwn i'n ei wneud yn sbio i mewn i'r tŷ.

Y bore hwnnw, aeth pob dim yn hwylus. Sylwais ar unwaith mor lân a thwt oedd pob dim o'i gymharu â'r tŷ cyntaf—yr unig beth nad oeddwn i'n ei hoffi oedd golwg y gath ddu fain oedd yn eistedd ar y bwrdd a'i chefn tuag ata i. Gan nad oedd neb i'w weld yng ngerddi'r tai o bobtu, mentrais gymryd tipyn bach mwy o amser nag arfer i gael golwg iawn ar y dodrefn a'r addurniadau yn y gegin; roedd baromedr ar y wal a allai fod o ddiddordeb i ni a nifer o ddolis bach ar hyd y silff-ben-tân. Tybed ai o bridd ai o tsieni y'u gwnaed nhw? Gyda 'mod i'n gwasgu 'nhrwyn yn erbyn y gwydr i gael gwell golwg arnyn nhw, cododd y gath, fel petai hi'n synhwyro bod rhywun yn ei gwylio. Trodd i'm hwynebu a chamais yn ôl a'r gwaed yn cilio o fy wyneb. Nid cath oedd y creadur, ond llygoden ffrengig fawr, lawn cymaint â chath, a'i llygaid yn tasgu tân tuag ata i wrth iddi sgyrnygu'n filain a dinoethi'i dannedd pigog. Yna—fel petai hi'n fodlon ei bod wedi fy nychryn ac wedi blino fy herio—fe neidiodd i lawr o'r bwrdd a diflannu i gornel dywyll. Mygais y waedd a godai i 'ngheg a rhedais rownd y talcen am y gât. Roeddwn i'n gobeithio gweld Dando a Liw yn aros amdana i, ond wedi troi'r talcen gwelais eu bod nhw'n dal wrthi'n sgwrsio ar drothwy'r drws ffrynt. Safai'r drws led y pen ar agor ac fe drodd Liw ata i ac amneidio arna i i ymuno â nhw. Ufuddheais yn wyliadwrus iawn, gan gofio am y llygoden yn y gegin gefn.

'Wel, wel, mae 'na un arall ohonoch chi! Dere di i mewn hefyd, cariad bach.' Clywais lais isel yn fy ngwahodd a sylweddolais fod 'na well croeso yn y tŷ hwn.

Braidd yn gyndyn, a chan sbecian yn nerfus i bob cyfeiriad, dilynais ar sodlau Dando a Liw i gyntedd bach cul ac o'r cyntedd i'r gegin. Roedd fy nghalon yn fy ngwddf wrth fynd i mewn, rhag ofn y byddai'r llygoden yn dal i lechu yn y gornel ac yn medru datgelu rywsut 'mod i eisoes wedi bod yn sbio i mewn. Os oedd hi, doedd hi ddim mewn lle amlwg ac ymlaciais ddigon i fedru gwerthfawrogi'r oglau persawr oedd yn drwm drwy'r lle; oglau melys blodau ond gyda rhyw awgrym o bydredd ynddo hefyd, fel petai'r blodau wedi bod yn sefyll yn hir heb gael newid y dŵr.

Rhwng mwynhau anadlu'n rhydd a chwilio am olion y llygoden, sylwais i ddim llawer ar wraig y tŷ hyd nes iddi hi gyfeirio'n bendant ata i a thynnu fy sylw.

'Mae hwn yn fachgen del.'

Trois i edrych arni a gweld wyneb merch ifanc, gyda gwallt melyn, llygaid mawr glas a gwefusau llawn. Doedd gen i ddim yn erbyn gwamalu rhywfaint â thipyn o bisyn barod a gwenais yn hunanfoddhaus. Liw oedd yn denu'r genod fel arfer a finnau'n cael ei sbarion o. Roedd hyn yn newid derbyniol i'r drefn. Gyda 'mod i'n gwenu daeth hi draw ata i. Estynnodd ei llaw i anwesu 'moch ac yna tynnodd ei bys ar hyd fy ngên. O'i gweld yn agos, roedd yn amlwg ei bod hi'n hŷn nag yr oeddwn i wedi tybio ar yr olwg gyntaf ac roedd ei bysedd yn oer . . . yn oer fel iâ. Collais fy mrwdfrydedd a dechrau crynu. Cymerais gam yn ôl ond fe ddilynodd hithau. Fe allai Liw gael hon â chroeso. Roedd hi'n rhy egr o'r hanner; yn fy ngwneud i'n ddrwgdybus. Sylwodd Dando ar fy niffyg diddordeb—roedd o'n graff yn ogystal â charedig—a brysiodd i'r adwy gan droi'r sgwrs er mwyn tynnu'i sylw hi oddi arna i.

'Does dim byd o werth i mi yma,' meddai, er na chafodd ddigon o amser i edrych yn iawn. Ond roedd yn rhaid cydnabod bod Dando'n gweld mwy mewn hanner eiliad nag a welai'r rhelyw ohonom mewn awr. 'Efallai bod gennych chi rywbeth yn y llofft . . . cist? Hen gist i ddal blancedi?' holodd wedyn.

'Na, does gen i ddim cist a phe bai gen i un wnawn i mo'i gwerthu i chi,' atebodd y wraig gan chwerthin.

Sylwais fel y symudai'r sglein dros arwynebedd ei gown sidan, werdd wrth i egni'i chwerthin beri i'w chorff siglo. Gwisgai sgidiau sodlau uchel o sidan gwyrdd hefyd gyda byclau arian ar eu blaen. Roedd hi wedi'i gwisgo ar gyfer parti a hynny cyn amser cinio. Fe fyddai Mam yn gwaredu at y fath grand-rwydd anaddas. Roedd yn rhaid ei bod hi'n byw bywyd digon od.

'Ond does dim rhaid i chi frysio o 'ma oherwydd hynny. Cymerwch hoe fach,' ychwanegodd, a'i thafod yn llyfu'i gwefus isaf; tafod fach brysur binc a barai i'r chwys dorri dan 'y ngheseiliau. 'Fe wna i lymaid i chi. Mae'n siŵr eich bod chi wedi blino ar ôl teithio'r holl ffordd o'r dre ar y ffyrdd llychlyd 'ma ac mae hi'n bleser gen i gael croesawu tri dyn cryf ar f'aelwyd. Nid yn aml y ca i'r fraint o groesawu neb, ond heddiw dyma dri . . . ac mae'r ifanc hwn . . .' Tynnodd anadl ddofn a gwenu arna i. Roedd ei dannedd gor-wyn yn f'atgoffa o ddannedd y llygoden a'i gwefusau gor-goch fel archoll waedlyd mewn darn o gig ffres. Plygodd i estyn ei braich dros f'ysgwydd gan amlygu'r hollt rhwng ei bronnau yr un pryd. Clywais oglau persawr yn codi i'm ffroenau a chlywn y gwallt bach yn codi ar fy ngwar. 'Mae'r ifanc hwn,' pwysleisiodd, 'wedi dwyn fy nghalon yn llwyr.'

Crynais eto a chlywed fy nghroen yn crebachu dan ei chyffyrddiad. Roedd y llygaid mawr yn sgleinio ond doedd dim cynhesrwydd yn y sglein, dim ond gwanc . . . ac awgrym o rywbeth arall. Awgrym o beth, tybed? . . . Roedd hi'n anodd penderfynu ond, wedi meddwl, fe daerwn mai awgrym o dristwch a welwn i yn ei gwên.

Teflais olwg hiraethus tua'r drws. Nid bod gen i ddim yn erbyn cael tipyn o hwyl pe'i cawn yn rhad ac am ddim ond doeddwn i ddim yn leicio'r wraig. Roedd y dannedd 'na'n codi braw arna i. A doeddwn i ddim am aros yn ei chartre funud yn hwy. Gorau po gyntaf i ni ei gloywi hi allan o'm rhan i. Ac roedd Dando'n cytuno. Gan ei fod o wedi sicrhau nad oedd gobaith taro bargen roedd yntau hefyd wedi cael llond bol o'r chwarae hefyd. Ond roedd Liw wrth ei fodd ac yn ymddangos yn hollol gartrefol yn sefyll wrth y lle tân ac yn bodio rhai o'r dolis oddi ar y silff.

Chwaraeai gwên fach ddirgel o gwmpas ei wefusau ac, o'i adnabod, gwyddwn ei fod o'n cynllunio rhyw gast, a syrthiodd fy nghalon i'm hesgidiau. Doeddwn i ddim am ddod yn ôl i'r tŷ hwn liw nos.

Roedd y wraig wedi'i gosod ei hun rhyngom ni a'r drws a chawson ni mo'n traed yn rhydd ar chwarae bach ond roedd Dando'n gyfarwydd â holl oblygiadau mynd i gnocio ac yn gwybod sut i ddianc o le cyfyng yn ogystal â sut i fargeinio. Manteisiodd ar y cyfle cyntaf i saethu drwy'r drws, fel bwled o wn, ac roeddwn i'n dynn ar ei sodlau. Roedd yn braf cael ein traed yn rhydd unwaith eto. Dilynodd Liw ni'n fwy hamddenol. Chwarddodd wrth weld Dando'n sychu'r chwys oddi ar ei dalcen gyda'i hances goch a gwyn.

'Roeddwn i'n dechrau ofni'i bod hi'n mynd i'n cadw ni yno tan amser cinio,' ochneidiodd Dando, 'yn gwastraffu'n hamser ni yn ei dangos ei hun.'

'Ar hwn roedd y bai am golli amser,' meddai Liw, yn edrych arna i a'r wên slei honno nad oedd byth ymhell o'i wefusau'n dechrau lledu, 'hwn, yn ei denu gyda'i olwg fach ddiniwed—diniweidrwydd mab y Mans. Sawl pryfyn dynnaist di i'r we honno, 'rhen bry cop?' gwamalodd, er ei fod yn gwybod yn iawn mai fo oedd yn llygad-dynnu'r merched fel arfer.

'Gallai hon'na,' meddai Dando, yn pwyso'n drwm ar y gât ac yn anwybyddu'r sylw ciaidd at 'y nhras i, 'ein llyncu ni'n tri heb ddiodde eiliad o ddiffyg traul. Lanciau ifainc, cymerwch gyngor gan hen ŵr sy wedi gweld llawer o'r byd a'i ddrygioni yn ei ddydd. Gadewch ferched fel'na man lle maen nhw. Mae sawl dyn wedi boddi mewn pwll a gloddiwyd gan rywun tebyg i hon'na. Osgoi'r tylwyth sy orau er eich lles.'

Ymlaen â ni at y tŷ nesaf a Liw'n chwerthin yn bryfoclyd am ein pennau ni'n dau. 'Enillwch chi fawr o ddim byth wrth gilio yn wyneb y gelyn,' pryfociodd. Roedd o mewn hwyliau syndod o dda.

Erbyn hyn roeddwn i'n dechrau cyfarwyddo â'r oglau drwg oedd ar yr awyr a doedd o ddim yn menu cymaint arna i. Ond, efallai oherwydd i mi gael y fath fraw yn y ddau dŷ cyntaf, roeddwn yn nerfus a gwyliadwrus iawn wrth nesáu at bob drws. Onid oedd nam ar bob wan Jac a welson ni'r bore hwnnw? Un yn wargam, y llall yn gloff, un arall a'r ddafaden hyllaf a welodd neb erioed yn crogi dan ei ên . . . Pethau bach oedden nhw i gyd a phe bai ond un neu ddau o'r trigolion wedi ymddangos yn iach ac yn gryf go brin y byddwn wedi sylwi arnyn nhw o gwbl, ond fel ag yr oedd, teimlwn ryw ddieithrwch o 'nghwmpas ac ro'n i'n awyddus iawn i hel 'y nhraed i'r lorri a dianc. Doedd Dando ddim yn gysurus iawn chwaith—ac nid oherwydd ein bod ni'n cael ein troi o bob tŷ'n waglaw roedd hynny. Natur fodlon, braf oedd gan Dando ac fe fyddai'n cymryd lwc ac anlwc fel ei gilydd heb gwyno na chwerwi. Ond roedd y lle 'ma'n aflonyddu arno. Sylwais ar y dafnau chwys yn disgleirio ar ei dalcen. Fe'u sychai nhw i ffwrdd o bryd i'w gilydd a phob hyn a hyn safai'n stond ac edrych o'i gwmpas yn syn.

Ond stompio 'mlaen o un tŷ i'r llall wnaethon ni, hyd nes i Dando sefyll a'i law ar gât y tŷ nesaf yn y rhes a throi at Liw a fi.

'Does arna i ddim awydd cario 'mlaen,' meddai. 'Mae'r lle 'ma'n drech na mi. Welais i'r un lle tlotach yn 'y mywyd. Dw i wedi gweld gwell dodrefn yn cael eu taflu i lorri sbwriel nag sydd gan y rhain yn eu tai. Beth am gymryd cinio cynnar a symud 'mlaen i ryw bentre bach arall mwy addawol at y prynhawn?'

Roeddwn i'n ddigon bodlon cytuno. Tynnu wyneb wnaeth Liw. Sylwodd Dando arno.

'Waeth i ti heb â thynnu stumie,' meddai. 'Chawn ni ddim byd fan hyn.'

'Ti sy'n ildio'n rhy fuan, 'rhen gariad. Dim dyfalbarhad, dyna ydi o,' prociodd Liw, yn amlwg yn ei elfen.

'Yn rhy fuan!' ailadroddodd Dando, 'a ninnau wedi galw mewn dau ar bymtheg o dai; dim ond pedwar tŷ sy ar ôl.'

'Ti sy'n pregethu mai'r gnoc olaf ydi'r un sy'n dod â'r trysor drutaf i'r sach,' meddai Liw, yn gwbl ddiedifar.

Ildiodd Dando. 'Efallai wir,' cytunodd, 'ond dw i wedi cael digon am y bore 'ma. Mae'r lle 'ma wedi dihysbyddu pob sgrap o'm hawch am fargen. Efallai mai'r gwres sy'n gyfrifol. Dewch, dw i'n barod am 'y nghinio.'

PENNOD 6

Roedd hi'n rhy anghysurus i ni fwyta yng nghab y lorri. Roedd o'n gyfyng iawn i dri ohonom a doedd dim lle i ystwytho ac ymestyn. Doedd 'na 'nunlle addas ar y stryd na dim golwg o barc chwaith.

'Beth am fynd i'r fynwent?' awgrymodd Liw. 'Fe fydd hi'n dawel yn fan'no a ddaw neb i darfu arnon ni.'

Roedd hynny'n wir ac anelsom am y gât fach yn y clawdd a arweiniai i mewn i ben ucha'r fynwent yn lle mynd drwy'r gât haearn fawr a arweiniai at borth yr eglwys. Roedd y fynwent mewn mangre ddymunol yn wynebu'r haul.

'Dyma'r lle brafia yn y pentre,' meddai Dando, yn gwenu am y tro cyntaf ers i ni lanio yn y lle melltigedig hwnnw, 'a digon o gerrig gwastad i ni bwyso arnyn nhw a thorheulo am dipyn cyn mynd yn ein blaenau.'

Roeddwn i wedi sylwi ar y llenni'n symud mewn sawl tŷ wrth inni fynd heibio ar ein ffordd i'r fynwent ond soniais i ddim wrth y lleill. Doedd dim ots gen i beth roedd y trigolion yn ei feddwl. Roedd chwant bwyd arna i erbyn hynny a dyma'r unig le addas i ni gael eistedd a mwynhau. Wfft iddyn nhw! Doedden ni'n gwneud dim drwg i neb nac yn torri unrhyw reol gan fod mynwent yn agored i bawb, yn fyw neu'n farw.

Cawsom le delfrydol i wledda, ar feddfaen Ifan Tomos '... a ffarweliodd â'r byd hwn yn ŵr ffyddlon a chadarn yn y ffydd, yn y flwyddyn 1784, ynghyd â'i wraig Mari a'i dilynodd ym 1787'.

Waeth beth oedd cyflwr tai'r pentre, roedd y fynwent yn glod i'r trigolion. Roedd y llwybrau'n lân o chwyn, pob bedd yn gymen a'r cerrig mewn cyflwr da. O weld pa mor hen oedd rhai o'r beddau, roedd eu cyflwr yn wyrthiol—yr enwau heb bylu a dim golwg o fwsog yn tyfu drostyn nhw. Âi mwy o egni i dacluso'r fynwent nag i lanhau unrhyw gornel arall o'r pentre.

Gorweddais yn ddiog uwchben gweddillion Ifan a Mari ei wraig a chladdu fy mrechdanau. Cyffyrddai'r haul yn gynnes â'm hwyneb ac roedd pob man yn ddistaw a llonydd. Dim bref, dim cyfarth, dim aderyn yn canu hyd yn oed, na murmur awel ym mrigau'r coed ar ymyl y llwybr o flaen yr eglwys. Am ysbaid gallwn ddychmygu 'mod i ym mharadwys. Ond doeddwn i ddim yn fodlon yn hir. Dechreuais anesmwytho eto. Oedd y lle'n rhy dawel? Doedd y fath dangnefedd ddim yn naturiol, rywsut.

Efallai nad fy natur biwis i oedd yn gwbl gyfrifol am fy anesmwythder; roedd Dando'n teimlo'n chwithig hefyd. Ymhen ychydig funudau, peidiodd â chnoi. 'Sylwoch chi,' gofynnodd, 'nad oedd 'na ddim plant yn y pentre? Neb yn chwarae.'

'Maen nhw i gyd yn yr ysgol yr adeg yma o'r dydd,' atebodd Liw, yn dylyfu'i ên yn ddioglyd braf.

'Does 'na'r un ysgol yma,' meddai Dando.

'Ddim yma hwyrach, ond mae 'na un yn y pentre nesa,' meddai Liw.

'Na,' torrodd Dando ar ei draws, 'doedd dim ôl plant. Doedd dim tegan i'w weld yn 'run o'r tai y buon ni ynddyn nhw; 'run siglen mewn gardd; 'run beic yn pwyso yn erbyn wal yn unlle; 'run bwced a rhaw fach blastig ar dwmpath o dywod. Na. Does 'na ddim plant yma. Pentre sy'n marw ydi hwn.'

Teimlais gryd ar fy ngwar pan ddywedodd o hynny a chrynais. Roeddwn i'n lled-orwedd ar y garreg a'm llygaid bron â chau. Fe'u hagorais gan edrych yn syth i fyny i'r awyr a sylwais fod yr haul yn dal i wenu. Od! Awel oer wedi 'nharo i'n sydyn ac wedi cilio ar unwaith. Stwffiais hanner brechdan gaws Caerffili i 'ngheg a'i chnoi'n egnïol.

'Pentre wedi marw,' meddwn i drwy'r bara a'r caws ac yn fwy pendant nag y bwriadwn, 'a phawb sydd yma'n prysur ddilyn ei gilydd i'r bedd.'

'Dyna hanes pawb,' wfftiodd Liw, gan chwerthin ar fy nifrifoldeb, 'o'r funud y caiff ei eni.'

Pwyntiodd Dando at fedd newydd ei agor. Doeddwn i ddim wedi sylwi arno cyn hynny er nad oedd o ddim ymhell i ffwrdd, yn y rhes nesaf at fedd Ifan Tomos.

'Bedd pwy 'di hwn'na, tybed?' gofynnodd. 'Welais i ddim llenni wedi'u tynnu yn y pentre, welsoch chi?'

Wrth gnocio, roedd yn talu i sylwi ar bethau felly. Doedden ni byth yn galw ar deulu mewn profedigaeth ond roedd yn werth galw heibio ymhen rhyw fis neu ddau, pan fyddai'r hiraeth am yr ymadawedig yn dechrau pylu a'r teulu efallai am gael gwared ar ei eiddo. Roedd yn bosib taro bargen reit dda mewn sefyllfa felly, gan fod y perthnasau'n aml yn awyddus i gael gwared ar y pethau mor ddidrafferth ag oedd modd. Dyna pam fod gan Dando gymaint o ddiddordeb mewn tŷ galar.

Sylwais innau fod darn o lechen las wedi'i godi uwchben y bedd newydd. Doedd pobl ddim fel arfer yn rhoi carreg ar fedd am fisoedd ar ôl y claddu, er mwyn i'r tir gael amser i galedu—a minnau'n fab i weinidog, ro'n i'n gwybod pethau felly. Ond do'n i ddim yn ddigon chwilfrydig i fynd draw i'w harchwilio'n fanwl. Ro'n i'n fodlon braf lle'r o'n i, yn diogi yng nghwmni Dando. A ph'run bynnag, do'n i ddim wedi gorffen 'y mwyd.

'Glywaist ti sŵn car y bore 'ma?' gofynnodd Dando wedyn. 'Neu weld garej? Does dim byd yma, heblaw am yr eglwys a'r fynwent. Does dim syndod eu bod nhw'n ei chadw hi mor rhyfeddol o gymen.'

'Does ganddyn nhw ddim byd arall i'w wneud i lenwi'r amser,' cynigiais i. 'Y fynwent ydi canolbwynt eu bywyd.'

'Y fynwent fydd eu diwedd nhw'n siŵr,' chwarddodd Liw.

Roedd o wedi bod yn bwyta'n brysur tra oedd Dando a fi'n sgwrsio ac wedi gorffen ei frechdanau o'n blaenau ni. Efallai, wrth gwrs, fod ganddo lai na ni. Allai neb ei gyhuddo o lythineb—hwnnw oedd yr unig un o'r pechodau marwol na fyddai Liw'n ymrafael ag o yn ei dro, fel y gwyddwn i'n iawn. Gwasgodd y papur oedd yn lapio'i frechdanau yn bêl yn ei law a'i daflu dros ei ysgwydd.

'Mae hi'n llai cymen nawr,' meddai. 'Ac rydych chi'ch dau'n rhy ddifrifol o lawer. Rho fenthyg y pen ffelt-tip 'na sy gen ti i mi, Elwyn, wnei di?' gofynnodd.

Estynnais y pen o boced uchaf f'anorac.

'Diolch, mêt,' meddai, ac i ffwrdd â fo at y bedd agored a dechrau dwdlan ar y garreg.

'Gad lonydd!' gorchmynnodd Dando, yn fwy awdurdodol nag y siaradai â ni fel arfer, pan sylwodd beth roedd Liw'n ei wneud. 'Ddaw dim daioni o ryw giamocs amharchus fel'na.'

Chwarddodd Liw, ac ymunais innau yn y chwerthin, yn fwy i ddangos fy ochr na dim. Y ddau ifanc yn erbyn yr hen. Cerddais yn hamddenol draw ato i weld beth roedd o wedi'i sgrifennu ar y llechfaen. Disgwyliwn weld rhywbeth doniol, amharchus—ond na! Rhewodd y chwerthin ar fy nhafod pan ddarllenais beth oedd ar y garreg fedd: 'Elwyn Jones, a ffarweliodd â'r byd hwn yn llanc cryf a heini ar y . . .'

Cipiais y pen o'i fysedd cyn iddo fedru sgrifennu'r un gair arall. Roedd gen i gymaint o ffydd yn anffaeledigrwydd Liw fel bod arna i ofn ei weld o'n ychwanegu'r dyddiad. Roedd rhyw reddf hollol afresymol ynof fi'n awgrymu bod mympwyon Liw yn medru effeithio ar ddigwyddiadau oedd y tu hwnt i ymyrraeth neb arall.

'Y cythraul dideimlad!' sgyrnygais, a 'ngwaed i'n rhedeg yn oer, 'Dydi peth fel'na ddim yn ddigri.'

'Dw i'n meddwl ei fod o'n ddigri iawn,' atebodd Liw, yn chwerthin ei hochr hi.

A chyda rhech gyfleus a ddynodai pa mor ddibwys oedd fy mhrotest iddo, ymestynnodd i'w lawn daldra a cherdded yn osgeiddig ar hyd llwybr y fynwent draw at borth yr eglwys. Roedd ei ysgwyddau'n dal i siglo. Jôc oedd pob dim i Liw.

PENNOD 7

Syllais ar y garreg.

Roedd arna i ofn yr hen eiriau gwirion oedd fel petaen nhw'n cydio fel gefel ac yn gwasgu yn 'y mron. Gwnes fy ngorau glas i'w rhwbio'n lân, gan ddygnu arni er mwyn ceisio cael gwared ar 'y nicter yr un pryd. Ddefnyddiais i erioed gymaint o eli penelin o'r blaen.

Roeddwn i wedi cael llond bol ar jôcs Liw y bore hwnnw. Rhwbiais yn fwy egnïol fyth, wrth ddwyn i gof y troeon eraill y bu iddo fynd dros ben llestri . . . O'r diwedd, chwarddais am fy mhen fy hun. Roeddwn i mor ddifrifol. Doedd dim y gallwn i ei wneud ynghylch Liw. Dyna'i ffordd o. A fo oedd fy ffrind pennaf, wedi'r cyfan. Efo fi'r oedd o'n rhannu'i gyfrinachau—a hynny ers blynyddoedd bellach. Ac eto, doeddwn i ddim yn siŵr ohono. Allwn i ddim ymddiried ynddo, rywsut. Ro'n i'n ei garu a'i gasáu yr un pryd.

Rhwygais fy hances boced yn rhacs a defnyddio pob diferyn o boer oedd yn 'y ngheg yn yr ymdrech i dynnu f'enw oddi ar yr wyneb glas. Wnes i ddim llwyddo chwaith. Roedd amlinell aneglur i'w gweld o hyd, o graffu'n weddol agos. Dilynais Liw at yr eglwys, yn barod i gymodi er nad oedd fy nhymer ddrwg wedi'i dihysbyddu'n llwyr. Onid ni'n dau yn erbyn y byd oedd hi wedi bod er pan oedden ni yn nosbarth un yn ysgol Brynpella? Fi a Liw, gyda'n gilydd ym mhob strach.

Bet oedd yr unig un a godai amheuon yn fy meddwl. Roedd hi fel rhyw Gassandra yn fy mywyd, yn procio a phroffwydo gwae o hyd. 'Dwyt ti ddim yn meddwl dy fod ti'n dibynnu gormod ar hwn'na?' gofynnai.

Efallai 'mod i'n cytuno â hi yn y bôn. Ond allwn i ddim dychmygu byw heb Liw.

Ro'n i'n amau a fyddai o'n fodlon dwyn ein cyfeillgarwch i ben p'run bynnag. Ro'n i'n bwysig iddo fo. A heddiw . . .? Wel, roeddwn i'n amau bod ganddo ryw gast mewn golwg i ni'n dau; rhywbeth nad oedd o am i Dando gael gwynt ohono a dyna pam ei fod wedi cerdded mor bendant i gyfeiriad yr eglwys. Roedd o'n chwilio am le preifat i sgwrsio ac yn gwbl hyderus y byddwn i'n ei ddilyn o, waeth pa mor ddig y teimlwn. Roedd o wedi hen ddysgu ei fod o'n medru fy nhynnu i fel y bydd magned yn tynnu pin dur.

Oedais ar y llwybr a chraffu ar yr eglwys o'r tu allan i ddechrau. Doeddwn i ddim am ymddangos yn rhy awyddus. Fe wnâi les iddo fo aros ychydig amdana i am unwaith.

Eglwys fach oedd hi heb unrhyw addurn gweladwy. Yr unig beth a dynnai sylw'r ymwelydd oedd y clochdy. Plaen oedd y pren, plaen oedd y cerrig a phlaen di-liw oedd y ffenestri. Ro'n i wedi gweld capeli mwy mawreddog lawer gwaith.

Pan sylwodd Dando 'mod i'n dilyn Liw, galwodd ar f'ôl: 'Beth sy 'di dod drosoch chi'ch dau heddiw? Wedi cael diwygiad?'

Wyddai o ddim am y diddordeb arbennig oedd gan Liw a fi mewn eglwysi. Dyma'r tro cyntaf i ni ymweld ag un yn ei gwmni o. Am eiliad, daliais fy ngwynt. Oedd Liw yn troi'n esgeulus? Thalai hi ddim i ni godi amheuon ym meddwl Dando ac iddo fo roi dau a dau at ei gilydd. Go brin ei fod wedi anghofio helynt yr ifori . . .

'Peidiwch ag oedi gormod i edmygu'r gargolau,' rhybuddiodd yr hen foi dan chwerthin. 'Fe fydda i am ei throi hi cyn hir.'

Doedd o'n amau dim!

Rhestrais ein llwyddiannau yn fy meddwl. Dyna'r ddwy ganhwyllbren arian a gawsom mewn un lle, a'r plât arian o fan arall, heb sôn am y llestr pres anferth hwnnw neithiwr na phrisiwyd ei werth eto. Ond roedd o'n werthfawr. Anghofia i byth mor drwm oedd o. Lwc na wnaethon ni mo'i ollwng wrth ei gario i'r fen. Chaen ni ddim hanner cymaint amdano pe bai 'na dolc ynddo. Ac er bod 'y mreichiau i'n dal i frifo ar ôl cario'r holl bwysau fe sicrhâi Liw eli da at y briw—yr eli gorau at unrhyw friw—trwch diogel o bapurau pumpunt.

Fe dalodd y plât arian hwnnw am fisoedd o sbleddach i ni. Ond allwn i ddim credu y byddai 'na ddim byd o werth yn y lle diffaith hwn, ddim a barnu oddi wrth gyflwr y tai a'r trigolion. Anelais at borth yr adeilad. Roedd y drws o dderw du trwm ynghau ond agorodd yn ddidrafferth heb ddim o'r gwichian roeddwn i'n ei ddisgwyl. Roedd yn amlwg ei fod yn cael ei agor yn aml. Efallai bod pobl y pentre'n ddefosiynol iawn . . .

Er syndod i mi cefais fod y drewdod ganwaith cryfach y tu mewn i'r eglwys nag ydoedd tu allan. Bu rhaid i mi lunio masg o'm hances i'w daro dros fy ffroenau. Beth oedd ym meddwl Liw yn ymdrybaeddu yn y fath le annymunol? meddyliais, gan deimlo fy nicter ato'n ffyrnigo eto.

Er bod yr haul yn gwenu a'r ffenestri'n rhai plaen, roedd yn dywyll yn yr adeilad. Crychais fy llygaid er mwyn addasu i'r gwyll llawn cysgodion.

O'r tu allan roedd y waliau a'r to'n ymddangos yn ddigon cymen ond, er mawr syndod i mi, roedd y mortar rhwng cerrig y muriau oddi mewn wedi hen droi'n llwch a disgyn i'r llawr yn dwmpathau bach diolwg. Gweai'r nitr batrymau gwynion dros leithder y llawr ac roedd gweoedd pryfed cop yn drwch dros bob man, yn hongian fel llenni o'r to ac yn cuddio pob ffenestr gan gadw'r goleuni glân allan. Roedd y meinciau yn dal yn eu rhesi ond pan bwysais fy llaw yn weddol drwm ar gefn un ohonyn nhw, briwsionodd y pren a medrwn ei rwbio rhwng bys a bawd. Doedd neb wedi eistedd ar y meinciau hyn ers tro. Sylwais fel roedd llechi'r llawr wedi torri a chracio hefyd—llawer ohonyn nhw wedi codi o'u lle gan ddangos y pridd oddi tano. Tyfai'r chwyn i gystadlu â'r mwsog gwyrdd oedd yn llinellau a sgwarau ar hyd y llawr.

Rhythwn ar y llanast a'i chael hi'n anodd cysoni'r aflendid diofal yma â'r fynwent lân, daclus. Pobl od ar y diain oedd yn byw ym . . .

Pan gyffyrddodd rhywbeth oer a llaith â 'ngwegil, neidiais mewn braw a gollwng gwaedd fach. 'Be . . .?' dechreuais ac yna sylweddolais mai Liw oedd wedi ceisio 'nychryn i, ac ymunais yn ei chwerthin. Ofynnais i ddim efo beth roedd o wedi 'nghyffwrdd i—rhecsyn gwlyb? Rhywbeth metel? Cefn cyllell? Nid efo'i law, yn sicr. Roedd o'n llawer rhy oer.

'Gest ti fraw, mêt?' Roedd gan y cnaf ddigon o wyneb i gydymdeimlo â mi yn ffug-ddifrifol a'r chwerthin yn islais dan ei eiriau. Ac yna gostyngodd ei lais yn gyfrinachol. 'Mae yma bosibiliadau da.'

'Posibil . . . be?' ailadroddais yn uchel ac yn hurt. 'Yma?' Sbiais o'm hamgylch gan obeithio'i fod o'n synhwyro 'nirmyg, hyd yn oed drwy blygiadau'n hances. 'Dwyt ti ddim yn gall os wyt ti'n gweld posibiliadau yn y twll hwn. Mae'n afiach.'

'Dere'n nes at yr allor,' murmurodd, a'i lais yn esmwyth a sidanaidd. Roedd Liw ar ei fwyaf peryglus pan oedd o'n taro'r nodyn hwnnw.

Fe'i dilynais o ar hyd yr eil at ryw fath o allor yn y pen dwyreiniol. O'r cefn ymddangosai fel bocs bregus ond, o'i gweld yn nes ati, roedd hi'n ddigon cadarn ac wedi'i llunio o farmor melyn. Wrth blygu i'w harchwilio baglais am yr ail waith y diwrnod hwnnw ond y tro hwn teilsen wedi codi o'i lle ar lawr y gangell oedd yn gyfrifol. Llwyddais i f'arbed fy hun rhag mesur fy hyd ond wellodd yr ysgytwad ddim ar fy nhymer na 'ngwneud i'n fwy hoff o'r pentre nac yn fwy cefnogol i unrhyw gynllun yr oedd gan Liw i'w awgrymu. A doedd y wên oedd yn crychu'i wefusau ddim yn debyg o godi 'nghalon chwaith. Do'n i ddim yn hoffi'r wên honno. Roedd yn peri i mi deimlo'n fach; nid yn fyr nac yn ifanc ond yn isel; islaw sylw, fel pry genwair dan droed teigr.

'Twt, twt,' gwamalodd, 'ychydig o weddustra, os gweli'n dda. Cofia dy fod mewn lle sanctaidd.

Roeddwn yn disgwyl gwell gennyt ti o gofio dy fagwraeth . . .'

'O, gad dy lol,' arthais arno ac, am unwaith, ufuddhaodd a throesom ein dau ein sylw at yr allor.

Doedd dim lliain arni na blodau chwaith. Dim byd ond croes, yn gorwedd ar ei chefn a chanhwyllau mewn dwy ganhwyllbren yn gorwedd yn wastad, un o boptu iddi. Doedden nhw ddim wedi syrthio fel'na. Roedd rhywun wedi'u gosod nhw'n ofalus. Ond pam? Cododd Liw'r groes a'i hestyn i mi.

'Profa bwysau hon'na,' meddai. 'Mae'n rhaid ei bod hi'n aur pur. Ac yn werth miloedd.'

Estynnais amdani ac, o sylwi ar y trachwant yn sgleinio yn ei lygaid, amheuais ei fod o am ei dwyn. Am ryw reswm tynnais fy llaw yn ôl.

'Na,' meddwn, 'na wir, Liw, ddim croes. Unrhyw beth arall ond allwn ni ddim dwyn croes.'

Atebodd o mohono' i ar ei union. Culhaodd ei lygaid wrth iddo graffu'n fanwl ar y trysor yn ei law. Yn ofalus iawn, fe'i gosododd hi'n ôl yn union fel y'i cafodd hi. Trodd a wincio arna i. 'Pwy a ŵyr be wnawn ni?' meddai'n slei. 'Mae hi'n ddeniadol iawn, 'tydi?'

'Ydi,' cytunais, ac edrych arni eto. Roedd yr aur wedi'i fathu'n batrymau cywrain ar hyd y goes a'r breichiau. Doedd dim ffigwr arni ac roedd hynny'n syndod i mi. Dim byd heblaw'r groes gywrain ei hun.

Trodd Liw ei sylw at y canhwyllbrennau. 'Arian,' meddai, 'wedi'i oreuro. Digon drud ond ddim mor werthfawr ag aur pur, wrth reswm.'

'Na,' cytunais, 'heblaw eu bod nhw'n hen iawn.'

Crychodd ei drwyn a siglo'i ben. Rhyfeddwn, fel bob amser, at ei wybodaeth eang o bethau esoterig. Roedd o hyd yn oed yn medru rhoi barn ar y canhwyllbrennau heb eu harchwilio. O leia roedd o wedi troi'i sylw oddi ar y groes am ysbaid. Doedd gen i ddim byd yn erbyn dwyn y canhwyllbrennau ond doeddwn i ddim am gyffwrdd â'r groes. Wyddwn i ddim pam. Tipyn o ofergoel, efallai, os nad oedd yr hadau a heuodd Mam a Nhad wedi gwreiddio'n ddyfnach nag a feddyliais i. Neu efallai, y diwrnod hwnnw, 'mod i'n chwilio am esgus i wrthwynebu Liw am fy mod i'n teimlo'n flin ac yn biwis ac yn casáu'r pentre a'r eglwys hon fel ei gilydd.

Un peth a'm synnai ynglŷn â'r canhwyllbrennau oedd bod y canhwyllau ynddyn nhw'n ddu.

'Welaist ti ganhwyllau duon mewn eglwys o'r blaen?' gofynnais i Liw.

'Do,' atebodd yntau, a dyna i gyd. Doedd yr ateb cwta ddim yn denu chwaneg o holi a thewais gan feddwl holi Nhad am arferion yr eglwys wedi mynd adre. Siawns y byddai o'n gwybod, er mai gweinidog anghydffurfiol ydoedd.

Wrth i mi blygu dros yr allor i estyn am un o'r canhwyllbrennau i'w harchwilio'n fanylach, cododd yr oglau drwg yn gryf i 'mhen gan beri i mi deimlo'n chwil. Gwelais yr eglwys a phopeth oedd ynddi'n troi o 'nghwmpas i. Bu rhaid i mi eistedd ar ris yr allor er mwyn sadio.

'Allwn ni ddim siarad fan hyn,' meddwn i, wedi dod ataf fy hun fymryn ond yn dal i deimlo'n eitha simsan. 'Dere allan i'r awyr iach. Mae'r oglau 'ma'n troi ar fy stumog i.'

‘Oglau sancteiddrwydd,’ gwawdiodd Liw. ‘Rwyt ti’n ddigon cyfarwydd â hwnnw, siŵr o fod.’

Trois at y drws, heb roi ateb iddo. Ataliodd o mohono’ i ac, ar ôl imi gyrraedd y cyntedd ac eistedd ar y fainc yn erbyn y wal, ro’n i’n teimlo’n well. Cyn hir ymunodd Liw â mi. Pwysodd ei fraich yn erbyn y wal uwch fy mhen ac edrych i lawr arna i, a’r un hen wên watwarus yn chwarae o gwmpas ei wefusau.

‘Druan ohonot ti,’ meddai, ‘hen beth annifyr ydi stumog wan . . .’

Anwybyddais ei bryfocio. ‘Wyt ti’n hwylio dod heibio yma eto, i ddwyn y canhwyllbrennau?’ holais.

Chwarddodd Liw. ‘Dydi’r canhwyllbrennau ddim yn bwysig,’ meddai. ‘Y groes sy’n hardd . . .’

Y cythraul cyndyn. ‘Fedri di ddim dwyn croes oddi ar allor . . .’ mentrais. ‘Mae hynny’n ormod o ryfyg.’

Cilwenodd Liw nes bod ei ddannedd yn fflachio, ‘Soniais i ddim am ddwyn,’ meddai’n gyfrwys, ‘ond dw i’n benderfynol o’i meddiannu . . .’

Fel roedd o’n siarad roedd ei lygaid yn chwarae drosta i, fel petai o’n fy mhwyso a’m mesur. A chlywn fy hun yn ymateb fel y gwnawn bob tro y byddai Liw yn chwarae’r llwynog, drwy ymdrechu ’ngorau i brofi iddo ’mod i’n atebol i unrhyw alwad a wnâi arna i. Ac eto roedd amheuon yn fy meddwl—croes—a honno ar allor? A sut y gallai o ei meddiannu heb ei dwyn? Roeddwn yn ymwybodol bod fy mhen i’n brifo’n ofnadwy. Effaith yr oglau drwg efallai. Pwysais fy nhalcen yn erbyn y wal arw a chau fy llygaid.

‘Mae gen i gynllun,’ meddai Liw toc, yn dawel ond

yn ddigon pendant i 'narbwyllo i. Ond doedd gen i ddim awydd cynllunio.

'Gad lonydd, Liw,' crefais arno, 'dw i wedi cael digon am heddiw.'

Fe dewodd am y tro ac roeddwn i'n ddiolchgar am hynny. Doedd gen i mo'r awydd na'r egni i ddadlau â neb.

PENNOD 8

Pan ddaethon ni allan o'r fynwent doedd dim sôn am Dando yn unman. Aethom yn ôl at y lorri a dyna lle'r oedd o'n cerdded yn ôl ac ymlaen yn ddiamynedd—peth anarferol iawn iddo fo. Roedd o'n un o'r bobl hynny oedd yn credu mai wrth fyw yn bwyllog roedd dyn yn byw yn hen.

'Dewch, brysiwch,' meddai'n llym. 'Mae'n hen bryd i ni ei throi hi. Gwastraffu amser rydyn ni fan hyn. Mae'r lle 'ma'n marw ar ei draed.'

Neidiais i mewn i'r cab yn sionc a dilynodd Liw yn fwy hamddenol. Yn wahanol i mi, doedd o ddim ar unrhyw frys i 'madael â'r pentre drwgsawrus, di-lun. Ochneidiais fy rhyddhad wrth glywed y peiriant yn tanio a theimlo'r lorri'n symud i ffwrdd. Roedd rhyw ofn wedi bod yn llechu yng nghefn fy meddwl—un o'r teimladau ffôl, anesboniadwy hynny—y byddai rhyw anffawd yn digwydd ac yn ein rhwystro.

Roedd y pentre nesaf yn lle bach dymunol a phawb yn ymddangos yn gwbl normal. Roedd yn bleser mynd at y drysau a mwynhau'r dadlau arferol naturiol ar ôl y profiadau annymunol ym Mhant Du, ond cyndyn iawn oedd y bobl i werthu'u pethau gorau ac o'r dodrefn a gynigiwyd i ni welson ni ddim oedd yn ddigon da i demtio Dando i estyn ei law i'w boced.

'Ddilynwn ni mo dy gyfarwyddiadau di eto,' meddai Dando'n bendant wrth Liw fel roedden ni'n gyrru'n ôl drwy'r dre i gyfeiriad yr iard. 'Yn ein harwain ni i'r twll uffernol 'na . . .'

'Uffernol, aie?' arthiodd Liw ar ei draws yn sydyn. 'Pa hawl sy gen ti i farnu be sy'n uffernol? Pwy wyt ti i dy ddyrchafu dy hun yn farnwr ar dy well . . .?'

''Y ngwell?'

Dyna'r tro cyntaf i mi glywed Dando'n codi'i lais oddi ar imi ei adnabod o. Mae'n rhaid bod rhywbeth wedi'i ddiflasu'n arw. ''Y ngwell? Y rhacs o bobol yn y pentre 'cw'n well na fi! Gwylia di dy dafod, lanc . . .'

Erbyn hyn roedd wedi troi'r lorri i mewn i'r iard. Diffoddodd y peiriant a throi i wynebu Liw.

'Efallai 'mod i'n gwybod mwy am dy dras di ac am ffon dy fara na fyddet ti'n fodlon ei arddel, y di . . .'—Roedd ei lygaid—oedd mor hynaws fel arfer—yn fflachio mellt i gyfeiriad Liw, ond ar hanner y gair, pallodd ei lais, gostyngodd ei lygaid a throdd ei ben i ffwrdd yn araf. Sylwais fel roedd o wedi gwelwi. '. . . awl.' Sisialodd ddiwedd y gair fel petai o wedi derbyn cernod galed ac yn ei chael hi'n anodd ynganu o'r herwydd.

Gallwn ei glywed yn anadlu'n gyflym. Roedd Liw wedi llwyddo i'w gynhyrfu heddiw, doedd dim dadl.

Meistrolodd ei hun toc. 'Dewch,' gorchmynnodd, 'allan â chi. Dw i wedi cael llond bol ar eich cwmni chi am heddiw.'

Eisteddais yno'n gegrwth am eiliad—roedd y ffrae wedi tanio mor sydyn ac am ddim rheswm, bron—ac yna neidiais i lawr yn ufudd ar ôl Liw. Clodd Dando'r cab a throi am y gât heb air ymhellach.

'Hei!' Cefais hyd i 'nhafod o'r diwedd. 'Beth am dâl?'

'Chi ddylai dalu i mi am drip rhad i gefn gwlad heddiw,' atebodd Dando, yn syn a phell, fel dyn wedi'i swyno.

'Mi alla i feddwl am well lle i fynd am drip,' dadleuais. 'Rhyl, er enghraifft.'

'Dy ddewis di oedd dod,' taflodd Dando dros ei ysgwydd a stompio i ffwrdd gan ein gadael ni'n sgyrnygu ar ei ôl, yn waglaw.

'Ac fe fydd yr hen grintach yn disgwyl i ni fod yma'n gynnar 'rwythnos nesa 'run fath,' meddwn, gan ein bod ni eisoes wedi gwneud trefniadau ynglŷn â'r siwrne nesaf.

'Os byw ac iach,' atebodd Liw'n goeglyd, 'os byw ac iach.'

Doedd y ffrae wedi effeithio dim ar ei gellwair o; doedd y diffyg tâl wedi menu dim ar ei ysbryd. Fi oedd yn grwgnach, er 'mod i'n sylweddoli nad oedd Dando yn ei hwyliau gorau. Roedd o, fel finnau, wedi diflasu'n llwyr. A bod yn deg, anaml y byddai'n ein gadael heb geiniog goch y delyn. Roedd rhywbeth—wyddwn i ddim be—yn y ffrae rhyngddo fo a Liw wedi'i gynhyrfu'n lân. Doedd o ddim yn or-sensitif fel arfer ac roedd o'n hen gyfarwydd â phryfocio Liw—wedi'r cyfan, byddai'r cnaf yn dilorni pawb pan fyddai'r hwyl honno arno. Ochneidiais wrth weld Dando'n diflannu, ei gefn fel petai wedi cwmanu mewn ychydig funudau.

'Am ddiwrnod i'r diawl,' meddwn i wrth Liw cyn ei throi hi am adre. 'Codi'n gynnar, colli amser a dim byd i'w ddangos amdano . . .'

'Wn i ddim,' atebodd yntau'n slic, gan roi winc fawr i mi.

Deallais ei fod o'n cyfeirio at y trysorau yn eglwys Pant Du a gwyddwn y byddai'n disgwyl help gen i i'w dwyn. Ar fy ngwaetha, roedd rhyw reddf yno' i'n mynnu y dylwn frwydro yn erbyn y peth. Na, nid greddf foesol na dim byd mor deilwng â hynny. Roeddwn wedi hen gladdu pob cydwybod foesol. Roedd y teimlad hwn yn fwy cyntefig na hynny. Greddf atafistaidd i oroesi ydoedd. Unwaith yn unig y profais i'r fath deimlad o'r blaen, a hynny pan oeddwn i tua saith oed ac wedi dringo coeden oedd a'i changau'n pwyso dros dwll hen chwarel. Wrth i mi ddringo'n uwch, plygodd y gangen roeddwn i arni dros y twll. Bu rhaid i mi symud yn wyliadwrus, law dros law nes cyrraedd yn ôl ar graig solet. Daeth y cof am y digwyddiad hwnnw'n fyw i mi wrth weld adwaith Liw i'n diwrnod seithug. Profais yr un ymwybyddiaeth o berygl angau, a hynny'n ddigon cryf i beri i mi ddadlau ag o am unwaith. Ond ymdrechais i swnio'n gall a gwrthwynebu ar sail rheswm yn hytrach nag ar sail yr ofn direswm oedd yn ceulo 'ngwaed. Fyddai wiw gadael i Liw synhwyro hynny—byddai'n destun sbort na chawn i byth ei anghofio.

'Peth hurt fyddai dwyn y groes,' meddwn. 'Mae'n rhy hawdd i'w hadnabod. Caem ein dal a'n dwyn gerbron llys barn ar unwaith.'

Gwenodd Liw ac estyn ei law i gyffwrdd â'm hysgwydd. 'Soniais i ddim am ddwyn,' meddai. 'Mae 'na fwy na thrysorau acw ac fe gei di, fy ffrind ffyddlon, rannu'r bendithion â mi.'

Am y tro cyntaf oddi ar i mi ei adnabod, doeddwn i ddim am rannu'i fendithion; roeddwn i wedi colli pob amynedd tuag ato. Ysgydwais yn rhydd o'i afael. 'Does dim bendithion yno i mi,' mynnais. 'Does arna i ddim affliw o awydd mynd yn ôl i'r lle drewllyd, afiach . . .'

'Twt, be 'di ychydig o oglau drwg? Rhywbeth dros dro ydi oglau,' mynnodd yntau. 'A beth am y flonden honno? Fe wnest ti argraff arni hi, boi. Bydd hi'n cadw lle bach cynnes i ti . . .'

'O, cer i grafu,' meddwn yn chwyrn a chychwyn am y gât. 'A doeddwn i ddim yn hoffi dy hen giamocs di yn y fynwent chwaith,' ychwanegais.

Chwarddodd Liw yn uchel. 'Does dim posib bod jôc fach ddiniwed fel'na wedi dy droi di'n erbyn y lle ac yn f'erbyn i,' meddai. 'Chredais i 'rioed dy fod ti mor groendenau—nac yn gymaint o gachgi,' gorffennodd yn giaidd.

Chynhyrfais i ddim. Ro'n i wedi hen arfer â Liw. Byddai'n dweud pethau cas yn fwriadol er mwyn codi gwrychyn rhywun a chael hwyl am ei ben.

'Fe gei di fynd yno ar dy ben dy hun,' meddwn yn gadarn, gan sgwario f'ysgwyddau. 'A' i ddim ar gyfyl y lle eto.'

'Fe ddoi di pan alwa i amdanat ti,' mynnodd yntau'n felfedaidd. 'Fe ddoi di.'

Roedd awgrym o fygythiad o dan esmwythder y llais. Ond doeddwn i'n hidio dim, ac fe'i gadewais yn benderfynol nad awn i'n agos at Bant Du eto. A phob nos am weddill yr wythnos, treuliwn y munudau hyfryd hynny cyn syrthio i gysgu yn hel rhesymau dros beidio â mynd i Bant Du; yn adeiladu cestyll o ddadleuon cadarn na allai hyd yn oed Liw eu bwrw i lawr. Ond chefais i ddim cyfle i'w defnyddio. Er i mi fynd allan bob nos, welais i ddim cip o Liw yn unman.

Edrychwn 'mlaen at fore Iau pan gawn fynd allan gyda Dando eto. Buasai'n wythnos hir a diflas heb gwmni yn ystod y dydd nac antur fach ganol nos. Pan ddaeth bore Iau, fi oedd y cyntaf yn yr iard, fel arfer. Cyn bo hir cyrhaeddodd Liw, yn wên o glust i glust. Ffliciodd allwedd i'r awyr o'i flaen a'i dal yn ddeheuig wrth iddi hi ddisgyn.

'Allwedd y lorri,' meddai.

'E? Does posib bod Dando'n ymddiried digon ynot ti i roi allwedd y lorri i ti?'

'Fedr Dando ddim rhoi na gwrthod mwy,' atebodd yn ysgafn. 'Glywaist ti ddim?'

'Clywed beth?'

'I'r hen greadur gael trawiad, nos Iau diwetha. Roedd o yn y papur—pwt ar waelod tudalen dau. "Hen dincar wedi mynd i'w aped . . ." neu ryw rwtsh tebyg.'

Syllais arno'n anghrediniol, yn methu dygymod â'i ddifaterwch yn un peth. 'Na,' atebais, 'na, welais i ddim—ac mae o wedi . . . wedi marw, felly?'

'Mae o cyn farwed â hoel,' cadarnhaodd Liw yn sionc, 'ac wedi'i losgi yn amlosgfa'r dre ers prynhawn ddoe. Does dim o'i ôl ond lludw—dim o bwys. A chan nad oedd ganddo ddim perthnasau, mentrais draw at y garafán i nôl allwedd y lorri. Dw i'n siŵr y byddai wedi dymuno i ni gymryd meddiant ohoni, pe bai wedi cael rhybudd bod ei ddiwedd ar ddod . . .' Yn sydyn roedd yn fusnes i gyd. 'Fe wnawn ni bob dim yn gyfreithlon. Fe brynwn drwydded ac insiwrin a phopeth. Beth am daith fach heddiw, jyst i weld sut lawiau ydan ni ar y prynu 'ma . . .?'

'Dim diolch,' atebais, 'does gen i ddim awydd.' Allwn i ddim meddwl dringo i'r cab a llwch Dando druan prin wedi oeri.

'Plesia dy hunan,' atebodd Liw. 'Fe a' i ar 'y mhen fy hun. Fe gychwynnwn o ddifri fore Llun. Cofia.'

'O'r gorau,' atebais, gan droi i ffwrdd.

Es i gerdded y strydoedd a meddwl am Dando, yr hen ŵr ffeind na welais i erioed mohono fo'n cynhyrfu tan ddydd Iau diwetha . . . Cofiais fel y'i gwelais i o'n prysuro i ffwrdd wedi cael llond ei fol ar gwmni Liw a minnau, ei gefn yn grwm a'i gorff yn llipa. Gwyddwn bellach beth ddaeth drosto; dim byd llai na chysgod angau . . .

Erbyn bore Llun roeddwn wedi derbyn y peth i raddau ac, wedi cwrdd â Liw yn yr iard, fe aethom i gaffi ar draws y ffordd a bwrw ati'n frwdfrydig i gynllunio sut i drefnu'r busnes.

Dros yr wythnosau nesaf fe fuom yn gweithio'n galed, ac yn mwynhau hefyd, er nad oedden ni'n ddigon cyfarwydd â bargeinio i wneud llawer o elw—prin digon i dalu am y petrol yn aml. Ond doedd hynny ddim yn bwysig ar y pryd gan ein bod ni wedi cael pris da am y llestr pres. Roedden ni'n cael hwyl gyda'n gilydd ar ein teithiau, er bod rhyw-faint o ddieithrwch wedi tyfu rhyngon ni oddi ar i Dando farw. Synnais at ddihidrwydd caled, dideimlad Liw bryd hynny ac allwn i ddim ym-ddiried ynddo'n llwyr yr un fath, wedyn.

Ond fe gawsom sawl sbri yn y dre. Buom yn cynhyrfu'r ynfytion hynny oedd yn dilyn y tîm pêl-droed un noson nes achosi dyrnu a pheltio ffyrnig. Cafodd y pryfed gleision lond eu dwylo'n tawelu'r ffrwgwd . . . Ac un noson fythgofiadwy fe droesom gar drosodd, tra oedd y perchen a'i gariad y tu mewn iddo, a llwyddo i ddianc cyn i'r creadur na neb arall ein gweld. Hon'na oedd y strocen orau, efallai. Dial ar y ferch am ei wrthod yr oedd Liw; doedd neb yn cael ei dramgwyddo'n ddi-gosb.

Daeth elw'r llestr pres i ben o'r diwedd ac, yn ôl pob golwg, doedd dim gobaith ail-lenwi'r coffrau. Awgrymais wrth Liw unwaith neu ddwy ei bod hi'n hen bryd i ni chwilio am gynhaeaf brasach yn rhywle; doedd arian y cnocio ddim yn ddigon.

'Pan ddaw'r amser,' oedd ei ateb bob tro, a dyna i gyd. A gwyddwn innau nad oedd diben pwyso arno.

Doeddwn i'n gweld fawr arno erbyn hyn chwaith. Naill ai roedd o'n aros yn y tŷ fin nos—am ei fod yntau'n brin o arian hefyd, efallai—neu roedd o'n brysur ar ryw berwyl neu'i gilydd.

Ond doedd hynny ddim yn beth drwg i gyd. Er bod llai o gynnwrf i'w gael, cefais fy mod i'n ymlacio'n fwy nag a wnes ers tro ac ro'n i'n mwynhau hynny. Bu Nhad bron â llewygu pan gynigiais dorri'r lawnt iddo un min nos. Wedi diflasu ar wneud dim roedd-wn i ond, wedi cychwyn, fe'i cefais o'n waith wrth fy modd. Roedd rhywbeth dymunol iawn mewn oglau gwair newydd ei dorri. Ymddangosai Mam yn fodlon iawn o 'ngweld i o gwmpas y tŷ, ac roedd Bet, a oedd gartre dros yr haf, yn ddigon cyfeillgar hefyd.

Deuai Meinir—ffrind Bet—i dreulio'r min nos gyda hi ambell waith ac arhoswn innau gartre'n un swydd i fwynhau'i chwmni, er na feiddiais i ddal pen rheswm â hi ar ei phen ei hun erioed. Roedd hi'n wahanol iawn i'r merched beiddgar, llawn hwyl y deuthum i'w hadnabod gyda Liw, a chael blas ar eu cwmni. Roedd Meinir yn llawn hwyl hefyd, ond yn dyner yn ogystal. Cawn yr argraff ei bod hithau'n hoffi 'ngweld i a theimlwn yn siŵr fod ei llygaid yn goleuo pan gerddwn i mewn i'r stafell. Byddwn wedi hoffi mynd â hi allan ond doedd gen i ddim digon o arian i roi noson gwerth chweil iddi, pe bai hi wedi digwydd cytuno. Wedi treulio min nos o flaen y tân yng nghwmni'r teulu a gwylio'r golau'n tynnu fflachiadau bach o wallt Meinir byddai'r prinder pres yn pwyso'n drwm arna i.

Y tro nesaf yr es i allan gyda Liw, soniais wrtho am fy mhrinder arian. Daeth yr olwg slei honno i'w lygaid a gwenodd, er na ddywedodd o ddim. Collodd fy nghalon guriad a rhedodd fy ngwaed yn oer am foment. Y wên 'na eto. Ond, mewn amrantiad, dechreuodd chwerthin a churo 'nghefn, yn reiat o'i ddireidi arferol ac fe allwn i ymlacio a mwynhau'i gwmni eto heb ofni dim. Ac ar yr un pryd gallwn deimlo'n ffyddiog y byddai'n trefnu antur fach fyddai'n diwallu f'angen cyn bo hir.

Y diwrnod hwnnw ar ein ffordd yn ôl i'r dre fe besychodd yr hen lorri ddwywaith neu dair ar riw Felin Isa a nogio. Doedd dim bai ar y lorri. Roedd yn hen. Es i i chwilio am ffôn, tra oedd Liw yn tincran â'r injan. Ond i'r garej y bu rhaid i'r hen gerbyd fynd a dyna ben ar gnocio am sbelen. A'r ffynnon honno wedi sychu.

Doeddwn i'n ennill yr un glincan goch bellach heblaw am gardod y llywodraeth a doedd hwnnw ddim yn ymestyn ymhell. Fe fyddai'n rhaid gweithredu cyn hir—ond roedd Liw fel petai wedi diflannu oddi ar wyneb y ddaear.

PENNOD 9

Ddechrau mis Hydref dychwelodd Meinir i'r coleg lle'r oedd hi'n paratoi at fod yn weithiwr cymdeithasol. Doeddwn i byth wedi'i gwahodd hi allan nac wedi sôn dim wrthi am fy nheimladau tuag ati—yn bennaf oherwydd prinder arian. Gan nad oedd gobaith iddi droi i mewn i'r Mans am baned a sgwrs, a chan fod Bet hefyd wedi 'madael a Nhad a Mam yn brysur gyda'r hwyr—cyfarfod gweddi neu gyfeillach neu bractis drama neu rywbeth o'r fath bron bob nos—roedd yn unig yn y tŷ a dechreuais fynd i grwydro'r strydoedd tua'r dre unwaith eto.

Manteisiwn ar y cyfle i freuddwydio am Meinir wrth grwydro heibio i'r parc a'r siopau mawrion; edrychwn yn ffenest siop y trefnydd gwyliau a breuddwydio am wyliau tramor yn ei chwmni; edrychwn yn ffenest siop y gemydd a breuddwydio am brynu anrhegion iddi—breichled aur neu fodrwy ddiemwnt. Dychmygwn y llygaid gleision hardd yn agor led y pen . . . Ond ar y ffordd adre, teimlwn yn ddigalon. Roedd popeth mor ddrud. A bryd hynny, meddyliwn am Liw . . .

Wnes i ac yntau erioed drefniadau pendant i gyfarfod, ond fel arfer byddem yn taro ar ein gilydd fin nos naill ai yn Stryd y Beili neu wrth lidiart y parc. A byddem yn gweithio gyda'n gilydd, wrth gwrs. Ond oddi ar i'r lorri nogio, doedden ni ddim wedi gweld ein gilydd yn yr iard, er imi fod yno sawl gwaith yn chwilio amdano, gan adael negeseuon yn y lleoedd arferol. Ro'n i'n dechrau credu'i fod o wedi cael gwaith arall, mwy parhaol . . . neu gyfaill newydd, efallai.

Cawn fy hun yn clustfeinio am ei gyfarthiad o dan ffenest fy llofft—arwydd ei fod o am i mi droi allan i'w helpu gyda jobyn bach dirgel. Ond un pryfoclyd ar y naw oedd Liw. Mwya i gyd roeddwn i ei angen, lleia i gyd oedd fy siawns o'i weld. Roedd fel petai'n trefnu hynny'n fwriadol.

Doeddwn i ddim wedi gweld ei golli gymaint yn ystod y gwyliau pan oedd Meinir gartre, ond teimlwn yn unig nawr a buaswn wedi bod yn falch o'i gwmni unwaith eto. Wyddai o ddim am fy nghyfeillgarwch â Meinir a doeddwn i ddim am iddo wybod chwaith: buasai'n edliw ei bod hi mor wahanol i mi—yn fyfyriwr, yn paratoi ar gyfer gyrfa sidêt a pharchus. A dweud y gwir, yn 'y nghalon hiraethwn innau am y pethau hynny hefyd erbyn hyn. A minnau wedi cael llonydd i feddwl drosof fy hun, medrwn o'r diwedd werthfawrogi blaenoriaethau Mam a Nhad.

Wrth orwedd yn 'y ngwely ambell noson, yn methu cysgu, dechreuais gynllunio drosof fy hun. Fe awn i chwilio am waith: unrhyw waith, ond iddo fod yn onest. Roeddwn yn gryf ac yn hoffi'r pridd a phob dim yn ymwneud â'r pridd. Fe ddechreuwn chwilio am waith fel garddwr . . . neu ar fferm. Fe dorrwn bob cysylltiad â Liw a chychwyn o'r newydd . . . a chynilo f'enillion. Dim mwy o fynd ar y sbri a gwario'n ofer. Fe gynilwn y cyfan a gofyn i Meinir ddod allan gyda mi yn ystod y gwyliau nesaf ac erbyn hynny fe fyddai gen i ddigon o bres i roi noson dda iddi. Fe hoffwn hynny'n fwy na dim.

Un noson dawel tua diwedd y mis, es i'r gwely'n gynharach nag arfer er mwyn cael llonydd i feddwl am Meinir, ac ar ganol fy nghynllunio, a'm ffroenau'n ymhyfrydu yn sawr y cwyr lafant a ddefnyddiai Mam ar ddodrefn y llofft, mae'n rhaid 'mod i wedi llithro i gysgu. Pan ddeffrois doedd golau'r stryd ddim wedi diffodd, a thaflai gysgodion a ymddangosai'n od o fygythiol ar y wal. Nythais ymhellach dan y cynfasau. Methwn ddirnad am eiliad pam i mi ddeffro. Yna, clywais y cyfarth isel a chyfarwydd o dan y ffenest. Roedd Liw y tu allan yn galw arnaf. Yn y cyflwr ansicr hwnnw rhwng cwsg ac effro, ymatebais yn reddfol drwy godi o'r gwely a sefyll yn rhynnu ar y mymryn mat wrth yr erchwyn. Clywais Nhad yn rhochian chwyrnu am y pared â mi a pharodd hynny i mi eistedd yn ôl yn blwmp ar y gwely ac ailfeddwl. Roedd Liw yn un annifyr. Doeddwn i ddim wedi'i weld ers wythnosau a nawr dyma fo'n fy nghodi o wely cynnes berfeddion nos. Ac i beth?

Dyna fo'n cyfarth eto ac yn y sŵn isel cyfrinachol, cododd fy nghalon fymryn. Efallai heno y cawn i gyfle i hel celc teilwng ac na fyddai angen trafferthu i chwilio am waith wedi'r cyfan. A fyddai neb yn gwybod o ble y daethai, heblaw amdana i. Roedd y demtasiwn yn fawr, er y gwyddwn na fyddai'r castiau yr ymgymerwn â nhw yng nghwmni Liw wrth fodd Meinir. Ac onid oeddwn am fod yn deilwng ohoni ac wedi penderfynu troi dalen newydd?

Roeddwn i'n pendilio'n ansicr rhwng dau feddwl pan ddaeth y cyfarth am y trydydd tro, yn uwch ac yn fwy awdurdodol nag o'r blaen. Roedd Liw yn colli amynedd a minnau'n teimlo'n llai sicr fyth. Pe bawn i'n mynd allan heno ac yn gwneud elw go dda, fe fyddwn yn siŵr o fedru rhoi noson i'w chofio i Meinir y tro nesaf y byddai gartre. Er ei mwyn hi'r oeddwn i'n mentro yn y pen draw. A chawn gyfle i ddweud wrth Liw yn blaen mai dyma'r tro olaf un. Ar ôl yr holl flynyddoedd, roedd o'n haeddu rhybudd. Doedd hynny ond yn gwrtais. Ond chawn i mo 'mherswadio ganddo i addo dim byd mwy na help llaw am heno. Roeddwn yn benderfynol o hynny.

Yn y cyfamser, estynnais fflachlamp o'r drôr a'i fflachio drwy'r ffenest yn arwydd iddo 'mod i wedi'i glywed. Fe awn i efo fo heno ac fe eglurwn wrtho 'mod i'n mynd fy ffordd fy hun o hyn allan. Petrusais; a newid fy meddwl. Fe fyddai'n gallach i mi egluro wrtho ar ôl i mi gael fy nghyfran o'r ysbail. Dyna fyddai'n ddoeth neu cystal i mi droi'n ôl i 'ngwely ddim, oherwydd chawn i ddim budd ohono! Taw piau hi am heno, felly. Wedi penderfynu, gwisgais amdana i'n frysiog, gan regi'r tywyllwch. Pan es i allan, roedd Liw'n sefyll wrth gât yr ardd.

'Heno amdani,' oedd ei gyfarchiad.

'Heno am be?' holais.

'Heno am ein hail ymweliad ag eglwys fach Pant Du . . .'

'Pant Du?' Suddodd fy nghalon. Pwy allai anghofio'r pentre drewllyd, difywyd, di-blant lle buom yn cnocio gyda Dando druan? A phwy fyddai'n ddigon ffôl i fynd yn ôl yno? Roeddwn i wedi gobeithio y byddai Liw wedi rhoi heibio'i gynlluniau ynglŷn â Phant Du. Doedd o ddim wedi cyfeirio atyn nhw unwaith er pan fuon ni yno o'r blaen, eto i gyd byddai'r groes a'r canhwyllbrennau drud yn dwyn elw mawr . . . Fe ddylwn fod yn gorfoleddu, ond yn lle hynny, plymiodd fy nghalon i waelod fy sgidiau.

'Dwyt ti ddim o ddifri, nac wyt?' mentrais, er 'mod i'n gwybod yn iawn ei fod.

'Mae'r lorri ym mhen draw'r stryd,' meddai, 'a'r tŵls a phob peth arall fydd ei angen arnon ni. Dere.'

'Wyddwn i ddim ei bod hi wedi dod o'r garej . . .' dechreuais.

'Ddoe—a bil hyd 'y mraich i'w dalu.'

Dyna pam roedd yn rhaid i ni fynd allan heno: os oedd o yn yr un cyflwr ariannol â mi, doedd dim gobaith mul gan y garej i weld talu'r bil. Ond doedd gen i fawr o stumog at y gwaith; mi rown i rywbeth am gael mynd yn f'ôl i 'ngwely glân a chynnes. Ond ymwrolais; roedd angen yr arian arna i.

'Dere,' meddwn, 'cyn i mi newid 'y meddwl.'

Dechreuasom gerdded yn gyflym a distaw ar hyd y stryd. Hanner ffordd at y gornel, petrusais eto. 'Chawn ni ddim gwared ar y pethau,' meddwn. 'Maen nhw'n rhy werthfawr. Wnaiff neb mo'u prynu nhw.'

'Dw i'n gwybod be 'di dy farn di. Rwyt ti wedi 'ngoleuo i ar y pwnc yn barod ond 'y musnes i 'di hwn,' meddai Liw'n gwta, a gallwn ddychmygu'i wefus yn troi'n ddirmygus, 'a dw i'n benderfynol o'i ddwyn i ben . . . ac mae'n rhaid i ti wneud dy ran. Dere.'

Roedd arna i awydd awgrymu'n bod ni'n mynd i rywle arall gan 'mod i wedi gosod fy nghas ar Bant Du, ond doedd gen i ddim cynnig arall a fyddai'n debyg o'i ddenu, ac felly fe'i dilynais i o, fel oen i'r lladdfa, fel y gwnes i ugeiniau o weithiau o'r blaen.

'Fe gei di yrru,' meddai, wedi inni gyrraedd y lorri, gan daflu'r allwedd i mi. 'Fe yrra i adre.'

Dringais yn ufudd ond yn araf i sedd y gyrrwr a thanio'r peiriant. Am ryw reswm, teimlwn bresenoldeb Dando'n gryf yn y cab a daeth rhyw gryndod drosof. Eisteddodd Liw wrth f'ochr a chyn gynted ag y daeth yn ddigon agos i 'nghyffwrdd gallwn synhwyro rhyw gyffro anghyffredin ynddo yntau hefyd, cyffro mwy dwys nag arfer. Doedd dim gwamalu na thynnu coes a bron na allwn deimlo'r trydan yn tasgu rhyngom wrth iddo ddweud wrthyf ymhle i droi a pha ffordd i'w dilyn. Credais mai'r ffortiwn oedd yn ein disgwyl oedd yn gyfrifol ond—er syndod i mi, gan 'mod i mor awyddus ag yntau i gael fy mhump ar ychydig o arian parod—doedd o'n cynhyrfu dim arna i. Teimlwn yn farwaidd a digalon. Ro'n i'n amau'n gryf fod galanas yn ein disgwyl: doeddwn i ddim yn ofergoelus fel arfer, ond theimlais i erioed fel hyn o'r blaen. Gweddïwn y byddai rhywbeth yn ein rhwystro rhag cyrraedd y pentre. Bu bron i mi droi'r lorri i'r clawdd ddwywaith—a hynny heb ddim rheswm. Doedd dim byd ar y ffordd i'n rhwystro a doeddwn i ddim yn ymwybodol 'mod i'n ceisio troi'r lorri'n fwriadol. Bron na thaerwn fod rhyw law anweledig yn troi'r olwyn drosto' i. Pe bawn i'n ofergoelus fe ddywedwn fod ysbryd Dando'n dial arnon ni am ddwyn ei lorri. Ond roedd Liw'n effro iawn i'r hyn oedd yn digwydd a gafaelodd yn yr olwyn ei hun a'i sythu mewn pryd i osgoi damwain.

'Ddoi di ddim ohoni fel'na,' gwatwarodd yr ail dro, fel 'tai o'n f'amau i o droi'r olwyn o chwith yn fwriadol.

Ni cheisiais ei ddarbwyllo. Allwn i ddim egluro'r teimladau cymysg oedd yn fy nghorddi. Ar un llaw roeddwn yn awyddus i gyflawni'r gwaith oedd o'n blaen, ond, ar y llaw arall, rhown y byd yn grwn ac yn gryno am gael bod gartre yn 'y ngwely'n ddiogel. Felly, ddywedais i ddim, a phan ddaethom at y gyffordd dilynais ei gyfarwyddyd i'r dde'n ddibetrus ac ni chafwyd rhagor o helynt.

'Rwyt ti'n cofio'r ffordd yn well na mi,' meddwn, mewn ymgais i glosio ato.

'Ydw,' oedd ei unig ateb.

Heblaw am ei gyfarwyddiadau cwta, siwrne dawel oedd hi. Doedd dim tynnu coes na phryfocio; dim canu, dim jôcs. Roedd o'n dilyn ei feddyliau ei hun a minnau'n canolbwyntio ar yrru. Doedd y ffordd ddim wedi gwella dim er pan fuon ni yno gyda Dando. Gwnes fy ngorau i godi 'nghalon, gan fy narbwyllo fy hun y dôi popeth i ben yn iawn, nad oedd yr antur hon ddim amgen nag unrhyw un arall, ac y byddwn yn ôl yn fy ngwely cyn amser brecwast a neb ddim callach i mi fod allan. Ond roedd yn waith anodd a mynnai'r iselder a oedd wedi cydio ynof pan soniodd Liw am Bant Du ddal i aflonyddu arna i, gan orwedd fel plwm yng ngwaelod fy stumog. Ond roedd yn rhy hwyr i edifaru a ninnau bron â chyrraedd—a Liw fel arian byw wrth f'ochr.

Diffoddais y peiriant a gadael i'r lorri lithro dan ei phwysau'i hun dros y llathenni olaf. Doeddwn i ddim am dynnu neb busneslyd at ffenest ei dŷ i weld pwy oedd yn gyrru drwy'r pentre mor hwyr y nos. Llywiais at ochr y clawdd wrth gefn y fynwent cyn tynnu ar y brêc. Edrychais draw at y stryd dai. Roedd pob un yn dywyll fel y fagddu: dim golau i'w weld yn unman. Roedd cymylau'n cuddio'r sêr a'r mymryn lleuad yn ogystal.

'Gwych o noson; yn ateb ein diben i'r dim,' murmurodd Liw.

'Byddai'n well gen i fod gartre yn 'y ngwely,' meddwn i, wrth estyn am y pecyn oedd yn dal 'y mwgwd a'm menyg.

'Fydd dim angen y rheina arnat ti heno,' wfftiodd Liw, ond fe'u gwisgais i nhw'r un fath. Câi o wneud fel y mynnai. Doeddwn i ddim mor hyderus ag oedd o nac mor abl i achub fy nghroen pe bai'r chwarae'n digwydd troi'n chwerw. Estynnais am y fflachlamp cyn neidio'n ddistaw i lawr o'r cab.

Cyn gynted ag y cyffyrddodd fy nhraed â'r ddaear, teimlais wefr yn saethu drwy 'nghorff ac yn codi'r blew ar 'y nghroen. Roedd tyndra yn codi o'r pridd y noson honno a sylwais fod y drewdod a 'mlinodd i'r tro cyntaf yn dal yno, mor gryf ag erioed. Yna daeth chwa o oglau glaswellt i'm hatgoffa o'r noson y torrais y lawnt i Nhad, cyn i'r oglau afiach gau amdana i eilwaith. Ew, roeddwn yn casáu'r lle 'ma, Pant Du . . .

'Gorau po gynta i ni orffen a'i heglu hi'n ôl am adre,' murmurais. 'Mae'r pentre 'ma'n chwarae ar fy nerfau i. Dydi o ddim yn lle naturiol rywsut.'

'Ti sy'n dychmygu,' meddai Liw yn gysurlon. 'Does dim o'i le ar Bant Du. Dwyt ti ddim yn adnabod y lle na'r bobol; unwaith yn unig rwyt ti wedi bod yma; felly, sut elli di farnu? Dw i wedi bod yma sawl gwaith er pan fuon ni yma gyda Dando. Mae gen i ffrindiau yma nawr. Ffrindiau o'r siort orau.'

Rhythais ar yr amlinell ddu—y cyfan a welwn ohono yn y tywyllwch—a rhoi dau a dau at ei gilydd. Dyna lle'r oedd o wedi bod drwy gydol yr haf, yn joli-hoetio i'r fan yma i ddal pen rheswm gyda'i ffrindiau newydd. Can croeso iddo, ddwedwn i. Welais i neb yr hoffwn i fod yn ffrind iddo, a chrynais wrth gofio mor sinistr oedd y trigolion a welais i. Fo a'n harweiniodd ni yma'r tro cyntaf hwnnw hefyd. Roedd yn bosib nad oedd y lle'n gwbl ddieithr iddo fo bryd hynny. Efallai'i fod o'n hen gyfarwydd â'r pentre a'r bobl. Efallai mai un o'r ardal hon oedd o. Gwyddwn na chafodd o mo'i eni ym Mrynpella. Fuodd o ddim yn ddisgybl mewn ysgol gynradd yno. Dyna sut y bu iddo gyfeillachu â mi ar y diwrnod cynta hwnnw yn yr ysgol gyfun. Doedd ganddo fo, fwy na minnau, ddim cwmni. A heno, a minnau wedi penderfynu torri'n cyfathrach hir, roedd y cofio'n boen i mi.

Ciledrychais arno. Roedd o'n gymeriad rhy ddwfn i mi—ac yn beryglus. Roedd Mam a Nhad wedi deall hynny o'r cychwyn. Roedden nhw'n gallach na mi ac yn f'adnabod i'n dda—yn deall fy ngwendidau yn well o lawer nag yr oeddwn yn eu deall fy hun. Tybed sut un fyddwn i pe na bawn i wedi cwrdd â Liw'r bore hwnnw? Byddai 'mywyd i wedi bod yn fwy merfaidd, roedd hynny'n siŵr, ac eto roeddwn i wedi bod yn ddigon bodlon heb ei gwmni yr wythnosau diwetha 'ma . . . A heno . . . wel, gan fy mod i wedi'i ddilyn cyn belled, cystal imi ei ddilyn i'r pen, ond yn sicr dyma fyddai'r tro olaf. Roedd Liw fel petai o'n synhwyro rhyw wahaniaeth ynof fi hefyd, gan ei fod o'n troi i edrych arna i bob hyn a hyn—wyddwn i ddim beth roedd o'n ei weld yn y tywyllwch chwaith. I mi, doedd o'n ddim mwy na chysgod yn symud gam o 'mlaen i.

Llithrasom drwy gât yr eglwys ac i fyny'r llwybr.

'Sut wyt ti am fynd i mewn?' sibrydais. 'Drwy'r cefn?'

'Dim peryg. Fe a' i drwy'r drws ffrynt fel pob gŵr bonheddig,' atebodd Liw'n hyderus.

'Wyt ti'n disgwyl carped coch?' gwawdiais.

'Fe synnet,' atebodd, heb ostwng ei lais.

'Sh!' rhybuddiais, gan synnu at ei hyfdra.

Chwarddodd. 'Rwyt ti'n nerfus, del,' meddai, fel petai'n siarad â babi.

Agorodd y drws mawr yn ddidrafferth. Doedd o ddim wedi'i gloi hyd yn oed ym mherfeddion nos—a theimlais gryd oer ar hyd asgwrn fy nghefn. Roedd popeth mor hawdd; yn rhy hawdd i fod yn ddilys. A oedd rhyw gynllwyn ar y gweill?

'Bydd yn ofalus, da thi,' rhybuddiais. 'Rwyt ti'n cymryd y peth yn rhy ysgafn . . .'

'Paid â phoeni,' torrodd ar fy nhraws, 'mae popeth yn mynd i'w le'n dwt. Ond gan dy fod ti'n amau, cer di am dro bach o gwmpas y fynwent tra 'mod i'n mynd i mewn i arloesi'r tir. Chwilia rhwng y beddau rhag ofn bod Heddlu'r Gogledd yn cuddio y tu ôl i'r cerrig, a'r breichledau dur ganddyn nhw'n barod i gau am ein harddyrnau . . .'

Dyna'r drefn bob tro, Liw'n gweithredu a minnau'n cadw gwyliadwriaeth. Unwaith eto bu rhaid i mi anwybyddu'r gwawd yn ei lais. Ochneidiais. Mewn difri, doedd dim byd yn ddigri mewn dwyn croes a phethau eraill o eglwys fach yn y wlad. Gallai fod yn waith cynhyrfus ond doedd o ddim yn ddigri. Roedd Liw'n anodd ei ddeall ambell waith.

'Wedyn,' aeth yn ei flaen, 'ymhen rhyw ddeng munud, wedi i ti dawelu dy ofnau, dere ar f'ôl i i'r eglwys. Bydd popeth yn barod erbyn hynny ac fe fydd angen dy help di.'

Cofiais am y llestr pres hwnnw. Fyddai'r groes ddim cyn drymed â hwnnw ond roedd y canhwyllbrennau hefyd . . . y cyfan yn gwneud gormod o lwyth i un, bid siŵr. O feddwl am y groes, golchodd fy nerfusrwydd drosto' i eto, ganwaith cryfach nag o'r blaen.

'Beth os bydd rhywun yn cuddio y tu ôl i'r drws ac yn barod i dy fachu cyn gynted ag yr ei di i mewn?' gofynnais. 'Oes gen ti esgus digonol dros fod yma?'

'Does dim angen esgus dros droi i mewn i eglwys a'i drws yn agored,' atebodd Liw'n hunangyfiawn, 'hyd yn oed ym mherfeddion nos. Cer di i'r fynwent. Pan fyddi di'n siŵr nad oes neb yn llechu yno, dere i roi help llaw i mi. Wyt ti'n deall?'

'Ydw.'

'Iawn 'te.'

Gadewais ef a throi at lwybr y fynwent. Roeddwn yn amau pob cysgod, ond heblaw am grensian fy nhraed fy hun ar raean y llwybr roedd pob man yn ddistaw. Mor ddistaw â'r bedd.

Gadewais y llwybr toc a cherdded rhwng y beddau. Doedd dim sŵn traed, dim awel yn cwynfan ym mrigau'r coed yw na siffrwd creaduriaid bach y nos i dorri ar y tawelwch. Doedd dim brys arna i i ddilyn Liw i mewn i'r eglwys a cherddais yn hamddenol gan fflachio golau ar ambell garreg er mwyn darllen yr arysgrif—fel y gwnâi Nhad ers talwm. Pan oeddwn yn iau ac yn mynd gyda'r teulu ar sgawt i le dieithr, anaml iawn y doen ni adre heb ymweld â'r fynwent er mwyn i Nhad gael gweld a oedd yno arysgrifau arbennig: englyn neu bennill gwreiddiol a phert. Roedd o'n eu casglu nhw. Tybed a fyddwn i'n gwneud hynny pan fyddai gen i deulu—gwraig a phlant? Chwarddais. Feddyliais i erioed am wraig nes i mi gwrdd â Meinir. Roedd hi wedi newid fy nghymeriad yn llwyr . . . Ond welais i ddim un pwt o bennill ym mynwent Pant Du, fyddai'n debyg o oglais diddordeb Nhad.

Ymhen hir a hwyr deuthum at fedd Ifan Tomos, lle y buom yn torheulo'r tro o'r blaen. Cododd ton o hiraeth am Dando drosof a mentrais fflachio golau ar y garreg ac yna ar hyd y rhes. Synnais weld bod y bedd oedd yn agored bryd hynny yn dal heb ei gau, er bod bron chwe mis wedi mynd heibio. Sylwais fod geiriau wedi'u cerfio ar y garreg erbyn hyn. Euthum yn nes ati i'w darllen:

'Elwyn Jones a ffarweliodd â'r byd hwn ar y pumed ar hugain o Hydref . . .'

Clywais sŵn pwnio fel tabyrddau'n taro rhythm gwallgo yn fy mhen. Roedd pob gair yn ergyd a phob ergyd yn brifo. Fy enw i oedd wedi'i gerfio'n ddwfn i'r garreg fedd. A'r dyddiad? Yfory. Na, roedd hi wedi troi hanner nos. Heddiw.

Roedd Liw wedi mynd yn rhy bell y tro hwn. Wedi dechrau fy mhlagio drwy sgwennu f'enw mewn inc y tro diwetha, roedd o wedi ymestyn y jôc drwy gael rhywun i gerfio f'enw'n ddwfn a therfynol ar y garreg a 'nanfon i yno'n fwriadol i'w ddarganfod—nid cast y foment ydoedd ond sbeit a drefnwyd ymlaen llaw.

Roedd yn greulon ac yn annheg. Taniodd fy nhymer a throis yn wyllt i wynebu'r eglwys lle'r oedd y cythraul mewn croen yn cael hwyl am fy mhen. Gwelais adlewyrchiad gwan o olau yn disgleirio drwy un o'r ffenestri. Cynyddodd fy nicter. A oedd y ffŵl yn benderfynol o gyhoeddi'n presenoldeb a sicrhau'n bod ni'n cael ein dal? Brasgamais at y drws a'i wthio'n eofn. Yng ngwres y foment bwriadwn falu Liw'n dameidiau mân. Ond unwaith y deuthum i olwg y gangell, sefais yn stond—roedd yr olygfa o 'mlaen mor syfrdanol o annisgwyl.

Pennod 10

Roedd yr eglwys yn dywyll heblaw am y ddwy gannwyll oedd ynghynn ar yr allor. Ymddangosai'r gangell yn hirach nag yr oeddwn i'n ei chofio ond gallwn weld y ddau gylch o olau melyn yn tasgu o gwmpas y ddwy fflam, ac yn llewyrch y golau gwelwn gynulleidfa o gysgodion yn plygu glin o flaen Liw. A dyna'r syndod mwyaf. Roedd o, mei lord, yn sefyll o flaen yr allor a gwisg laes a ymddangosai'n ddu yn disgyn dros ei ysgwyddau at y llawr. Roedd yn dal y groes aur uwch ei ben ac yn llafarganu rhyw eiriau dieithr nad oeddwn i'n gyfarwydd â nhw. Doeddwn i ddim yn siŵr o'r iaith hyd yn oed, er 'mod i'n sâff nad Cymraeg ydoedd. Roedd y gynulleidfa'n ei ateb linell am linell a'r cwbl gyda'r defosiwn mwyaf, yn union fel petai o'n offeiriad yn arwain gwasanaeth crefyddol.

Sylwais ei fod yn dal y groes a'i phen i lawr. Doeddwn i ddim yn deall beth oedd yn mynd ymlaen. Gwibiai haid o syniadau drwy fy meddwl fel cacwn yn murmur wrth ddrws eu nyth a phob un a'i cholyn yn barod i frathu. Oedd Liw wedi trefnu cwrdd â'r bobl hyn yma heno? Fe froliodd fod ganddo ffrindiau, rhai o'r siort orau, yn y pentre. A oedd y ffrindiau hynny wedi casglu ynghyd i'w anrhydeddu?

Oedd o wedi fy nhwyllo i wrth sôn am ddwyn trysorau'r eglwys? A oedd o wedi sôn am ddwyn y trysorau? Neu ai fi a gymerodd yn ganiataol mai dyna'i ddiddordeb ynddyn nhw? Erbyn meddwl, doeddwn i ddim yn cofio. Roedd arna i ofn 'mod i'n drysu. Sadiais a cheisio meddwl am eglurhad.

Fe allai'r gwalch fod yn twyllo'r bobl ddiniwed o'i flaen er mwyn cael rhwydd hynt at y groes a'r canhwyllbrennau. Un cyfrwys oedd Liw . . .

Gyda hynny, symudodd Liw i sefyll y tu ôl i'r allor. Ar unwaith ymddangosai'i gysgod fel cysgod cawr ar y wal y tu ôl iddo. A minnau'n dal yn gegrwth ddim ond gam neu ddau y tu mewn i gorff yr adeilad, edrychai'n syndod o fygythiol. Amneidiodd ar y gynulleidfa ac ar yr arwydd cododd un o'r cysgodion a sefyll o flaen yr allor. Ffurf ydoedd yn hytrach na chreadur o gig a gwaed, ffurf wedi'i llunio o niwl llwyd heb fawr o sylwedd iddi. Sylwais ei fod yn dal powlen yn ei ddwylo.

Plygodd y cysgod a phenlinio'n wylaidd o flaen yr allor. Cododd y bowlen uwch ei ben cyn ei osod ar yr allor. Dyrchafodd Liw'r groes aur deirgwaith cyn ei dal uwch ben y bowlen. Yna, fe'i gosododd i lawr ac estyn am y bowlen a'i chodi'n uchel uwch ei ben. Roedd yn amlwg ei fod yn mwynhau pob eiliad o'r ffârs wirion ac yn ymwybodol bod pob symudiad o'i eiddo yn cael ei chwyddo a'i adlewyrchu ar y wal a'r nenfwd o'i ôl. Âi drwy'r perfformans gyda holl fingams yr actor mwyaf dramatig. Pe bai 'na smic o sŵn i dorri ar y dwyster fe fyddwn i wedi torri allan i chwerthin. Ond doedd dim sŵn tra oedd hyn yn mynd ymlaen, dim ond symud . . .

Wedi mynd trwy'i bethau mewn distawrwydd llethol, cododd Liw'r bowlen at ei wefusau gan wneud ystum i yfed ohoni. Mae'n debyg nad oedd y ddiod neu beth bynnag oedd ynddi wrth ei fodd oherwydd fe luchiodd y bowlen oddi wrtho'n ddicllon. Bowndiodd yn erbyn cerrig y llawr gan wneud twrw mawr a dorrodd ar y distawrwydd fel ergydion o wn gan dynnu eco o'r corneli. Daeth ebychiad siomedig oddi wrth y rhes cysgodion, fel chwa o wynt yn cwynfan mewn simne. Er mor ddirmygus oeddwn i, roeddwn yn ymwybodol o'r wefr a aeth drwy'r gynulleidfa annelwig honno. Roeddwn yn groen gŵydd drosto' i. Roedd un rhan o 'meddwl yn dal i edmygu Liw. Os oedd o'n actio, roedd o'n actio'n wych.

Wedi taflu'r bowlen, dyrchafodd ei freichiau tua'r nenfwd eto a llewys y wisg laes ddu fel adenydd ystlum o bobtu'i ben, a'i gysgod yn ddychrynllyd o fawr yn ymestyn dros bawb a phopeth fel petai ganddo awdurdod drosom ni greaduriaid bychain o'i flaen. Y cysgod, nid Liw. Ac ar y foment roedd arna i fwy o ofn y cysgod hwnnw nag o ofn Liw ei hunan.

Yna, ac yntau'n ganol i'r cysgod brawychus hwnnw, trodd Liw ei ben yn urddasol a chraffu drwy'r gwyll tua'r man lle safwn i, y tu mewn i'r drws, yn gwylio. Er 'mod i'n adnabod Liw ers dyddiau plentyndod, clywn fy mhenliniau'n crynu dan y cuwch ofnadwy hwnnw. Yn araf iawn, disgynnodd ei freichiau at ei ochrau. Yna, cododd un fraich a phwyntio'i fys tuag ata i.

O'r annwyl, meddyliais, pa ran wirion sydd ganddo i mi yn y ddrama hon? Cyn i mi gael cyfle i benderfynu, roedd y niwl cysgodion wedi codi, gan ymrannu'n unigolion, a throi i edrych arna i. Yna'n araf, ond yn anochel, dechreuodd y cysgodion hel at ei gilydd a symud tuag ata i, yn un cwmwl du.

Dechreuais amau. A oedd 'na ryw fygythiad yn y llif drychiolaethau a ddeuai'n nes ac yn nes o hyd?

Yr union eiliad yr holais y cwestiwn, sylwais ar olau gwan yn cael ei adlewyrchu oddi ar lafnau yn nwylo ambell un. Beth oedd hyn? Llafnau? Trois at Liw am gyfarwyddyd a dyna pryd y sylweddolais i'r perygl yr oeddwn i ynddo. Roedd ei wyneb yn ddrych o drachwant dieflig . . .

Yn nychryn yr eiliad honno deallais lawer o bethau.

Deallais pam roedd Bet yn ei weld yn hyll. Deallais pam nad oedd Mam a Nhad yn gysurus yn ei gwmni. Deallais pam y bu rhaid i Dando druan farw, wedi iddo'i adnabod—marw cyn pryd rhag peryglu cynllun ffiaidd Liw. Yn fwy dwys na dim, deallais fod angen aberth i gynnal y seremoni hon a bod y creaduriaid yn symud tuag ata i. Daethai fy nhro innau i adnabod Liw, fel y gwnaethai Dando'r prynhawn Iau hwnnw. Roedd ei dras yn amlwg i minnau bellach; yn ei ddatgelu'i hun yn y wên gam, y llygaid cochddu a'r gwallt trwchus a godai fel cyrn o bobtu'i ben. Deallais y cyfan, ar amrant.

Liw oedd o; Liwsiffer. Y mab yn chwilio am y tad. Dyna ddywedodd o wrthyf o'r cychwyn cyntaf. Thwyllodd o ddim mohono' i. Fy nhwyllo fy hun wnes i wrth gael fy llygad-dynnu gan yr hwyl a'r rhamant a ddôi o'i ddilyn o. Roedd deiliaid pentre Pant Du wedi'i adnabod o'r dechrau ac roedd yntau wedi'u hadnabod nhw. Ei drueiniaid o oedden nhw, bob copa.

Fe ddylwn i fod wedi deall hynny cyn hyn hefyd. Sut y gallwn i fod mor ddall? Pentre'r meirw neu'r difarw oedd hwn. Dydi pry ddim yn cerdded ar hyd wyneb neb byw, na llygod ffrengig yn cael croeso i letya gyda phobl a'u gwaed yn dal i redeg yn gynnes. Ac oni welais i fy hun farc y diawl fel nam ar bob un o'r trigolion?

Fflachiodd y cwbl yn glir drwy fy meddwl. Doedd Liw ddim wedi dod yma i ddwyn y groes aur na dim byd arall. Roedd o wedi dod i gynnal y seremoni fyddai'n cadarnhau'i afael ar ei ddeiliaid—y sombïaid oedd wedi meddiannu'r pentre a'r fynwent. Ac roedd angen gwaed i'w chynnal hi'n llwyddiannus—gwaed ffres, cynnes. Fy ngwaed i. Ond doeddwn i ddim am chwarae. Roedd bywyd yn lanach y tu hwnt i'r fficidd-dra hwn. Cyn dod, roeddwn i wedi penderfynu mai heno fyddai'r tro olaf i mi fod yn gwmni i Liw. Roeddwn i wedi dewis byw fy mywyd fy hun. Roeddwn i am fyw . . .

Gyda sgrech neidiais am y drws a llamu allan i'r nos. Wyddwn i ddim i ba gyfeiriad roeddwn yn troi ond gwyddwn fod yn rhaid i mi ddianc er mwyn achub fy mywyd a'm henaid. A'r eiliad honno roedd f'enaid yn fwy gwerthfawr i mi nag a fuasai erioed o'r blaen. Gwyddwn, pe bai un o'r llafnau disglair hynny'n pigo 'nghroen, y byddwn yn un o ddifeirw anesmwyth y pentre ac o dan awdurdod Liw hyd dragwyddoldeb maith heb obaith cwrdd â Meinir na neb tebyg iddi eto, yn fyw neu'n farw. A fynnwn i mo hynny. Clywn ochneidiau'r damniedig eisoes yn chwyddo yn fy nghlustiau wrth i mi droi'r ffordd yma a'r ffordd acw.

Ymdrechais yn deg ond redais i ddim ymhell. Yn fy mhanic gwyllt baglais a disgyn . . . disgyn i fedd agored a'r garreg eisoes yn barod uwch ei ben a'r arysgrif wedi'i cherfio'n ddwfn arni, 'Elwyn Jones a ffarweliodd â'r byd hwn ar y pumed ar hugain o Hydref 1988 yn ugain mlwydd oed. Da was, da a ffyddlon.'

Heidiodd y drychiolaethau drosto' i. Cofiais Nhad yn egluro ystyr arwyddair yr ysgol i mi: 'Amser dyn ei gynhysgaeth.' Gwelais rith o wyneb annwyl Meinir. Pam na chefais i gwrdd â hi ynghynt? Yna, roedd y llafnau'n disgyn. Roedden nhw'n finiog.

Yma y bydda i bellach . . . ac amser yn cyfri dim.